EL REALISMO DEL "TIRANT LO BLANCH"
Y SU
INFLUENCIA EN EL "QUIJOTE"

BIBLIOTECA UNIVERSITARIA PUVILL

DIRIGEN

Josep Puvill Valero. Puvill-Editor
Josep M. Sola-Sole. The Catholic University of America

II. ENSAYOS. 1

ANTONIO TORRES

University of Texas at Austin.

EL REALISMO DEL "TIRANT LO BLANCH" Y SU INFLUENCIA EN EL "QUIJOTE"

PUVILL - EDITOR

Barcelona

© Antonio Torres

Puvill-Editor
Boters 10.
Barcelona-2

DISTRIBUIDOR
Librería Puvill
Boters, 10 - Paja, 29
Jaime I, 5
Barcelona-2

Publicado con la ayuda de Intercambios Culturales Hispano-Americanos.

Dep. legal: Z-175-79

I.S.B.N.: 84-85202-11-2

IMPRESO EN ESPAÑA

Talleres gráficos: INO-Reproducciones
Santa Cruz de Tenerife, 3
Zaragoza

PREFACIO

Hablando de la literatura y del dinamismo catalán de los siglos XIII, XIV y XV, dice M. Casella:

> Bisogno [el catalán] prepotente di azione in quanto si risolva in utile inmediato e tangibile; desiderio intenso di cercare oltre i confini della propria terra le ricchezze che aumentino lo splendore; spirito pratico che nelle aventure del grande mare latino traduce ogni pienezza di vita, caratterizzano questa razza mediterranea che dope il trionfo sul continente contro i mori, raccolta nella sua unita etnica, s'affida al bianco stuolo delle galere, procede alla conquista delle Baleari e, liberatrice in Sicília, appunta lo sguardo sulla Toscana e saluta le verdi colline dell'Attica accampandosi sulle rive dell' Elisso, all'ombra austera del Partenone...[1]

Esto, en cuanto al carácter y la historia catalana. Una historia llena de vitalidad, de acción y de pragmatismo. Esta sociedad y esta ideología se tiene que reflejar

[1] Mario Casella, *Saggi di Letteratura Provenzale e Catalana* (Bari: Adriatica, 1966), p. 215.

7

en su literatura, y, así, continúa M. Casella:

Ai catalani importava il presente fuggitivo come la fortuna di cui tenevano i sorrisi degni degli audaci e la letteratura piaceva sol quando rispondeva all' azione, sanzionava, per cosi dire, le loro attività pratiche o concedeva momenti di ozio, durante i quali si poteva pensare anche all'anima. (Ibid.)

Efectivamente, la nota más sobresaliente en la literatura catalana es principalmente su pragmatismo, su vitalidad y aburguesamiento. Los ideales místicos de Llull iban encaminados a preparar a sus hermanos para la acción: la conquista espiritual del mundo musulmán. Misticismo y acción son los dos polos de la actividad literaria de Ramon Llull. Su obra se conertirá en la semilla productiva de todo el resurgimiento de la mística posterior.[1]

Antes del realismo castellano de la picaresca, ya había nacido su antecedente, también en Jaume Roig,[2] al tiempo que el Arcipreste de Talavera había leído a Eiximenis[3] y vagado por tierras catalanas. Mientras en la Castilla de los siglos XIV y XV leían la *Vulgata* caballeresca bretona y se abonaba el terreno para la sarta de libros de caballerías de un siglo más tarde, en Cataluña ya se escribe el *Blandín de Cornualla,* el *Curial e Güelfa,* el *Jacob Xalabín,* el *Tirant lo Blanc* y

---

[1] Cf. M. T. Olabarrieta, *The Influence of Ramon Lull on the Style of the Early Spanish Mystics and Santa Teresa* (Washington, D. C.: CUA Press, 1963).

[2] Cf. V. G. Agüera, *Un pícaro catalán del siglo XV* (Barcelona: Hispam, 1975).

[3] Cf. M. de Montoliu, *Eiximenis, Turmeda i l'inici de l'humanisme a Catalunya: Bernat Metge* (Barcelona, 1959).

8

la traducción de los "fabliaux" franceses, en los que el elemento de acción y de realismo los convierte en una categoría de caballeros muy distinta a la que impera, e imperará, en Castilla; y si algún manual de cortesía corre por Cataluña, es el *Facet*, o manual del perfecto seductor.

Ahí no acaba el realismo catalán. Martorell enseñará el camino a Cervantes y aún en el movimiento poético del Renacimiento será Ausiàs March el que abrirá la senda que más tarde pisarán Boscán, Hurtado de Mendoza, Cetina, Garcilaso y otros.

La obra que ha abierto al mundo de la crítica literaria el tesoro de la poco conocida literatura catalana es *Tirant lo Blanc*.

El primer castellano que notó este realismo, lo admiró y lo criticó, fue Cervantes, en el Cap. VI de la primera parte del *Quijote*. El comentario de Cervantes fue el primero en una serie de estudios esquemáticos, o notas meditadas, que la crítica ha ido dedicando a este libro, sin llegar, en realidad, a mucho detalle.

Sin embargo, aun esta bibliografía limitada del *Tirant*, que ha aceptado, a priori, el realismo de esta obra, no se ha decidido a enfrentarse con cuestiones como ¿en qué consiste este realismo? O ¿en qué recursos estilísticos del *Tirant* aparece este realismo?

Es nuestro propósito asentar la noción de realismo en nuestro primer capítulo, como premisa necesaria. Tantas y tan debatidas son las opiniones a este respecto, que tendremos que adoptar el concepto clásico greco-latino de realismo, como punto de referencia en nuestro estudio. Queremos, asimismo, asentar la ya existente noción de la tradición realista catalana, anterior al *Tirant lo Blanc*.

Con esta premisa, haremos un estudio analítico del *Tirant*, en el segundo capítulo, examinando las diferentes formas o modos de expresión del mismo, como recurso estilístico y como representación del ambiente social del tiempo.

Finalmente, y basados en el juicio de Cervantes, estudiaremos, en un tercer capítulo, todas las hipótesis hasta ahora adelantadas por la crítica sobre las posibles influencias y paralelismos existentes entre una y otra obra y entre uno y otro autor. [1]

[1] Las dos ediciones fundamentales que utilizaremos en nuestra investigación serán:
Joanot Martorell y Martí Joan de Galba, *Tirant lo Blanc*, ed. de Martí de Riquer (Barcelona: Seix Barral, 1970), 2 tomos.
Miguel de Cervantes, *El ingenioso hidalgo don Quijote de la Mancha*, ed. crítica de F. Rodríguez Marín (Madrid: Ediciones Atlas, 1947-1949), 10 tomos.

I

TIRANT LO BLANC Y SU PRETENDIDO REALISMO

A la gran familia de los Amadises, Palmerines, Tristanes y sucedáneos, de los siglos XIV, XV y XVI, les nace en 1490, en Valencia, un hijo bastardo, un pícaro en el mundo caballeresco y noble del siglo XV. Decimos bastardo, por su proceder prosaico, su terrestrialidad, que, confrontada con el mundo platónico y maravilloso del resto de la familia caballeresca, resulta chocante, crudo y plagado de erotismo. Una verdadera mofa de la familia a la que pertenece. Cómo los lectores de tantas maravillas, proezas y amores puros, se tomaron las aventuras, las socarronerías, y el proceder moral de este nuevo vástago de la familia caballeresca, no está bien claro. A juzgar por el silencio secular que sobre él cayó, parece ser que la recepción no fue demasiado cordial. La tirada de la primera edición de 1490, en Valencia, fue de 715 ejemplares. De la segunda, de 1497, en Barcelona, sólo queda un ejemplar en la Hispanic Society of America, en New York, y a excepción de la traducción castellana de 1511, de las italianas de 1538, 1566 y 1611, y de la francesa de 1692, no se vuelve a reimprimir hasta

1873, en Barcelona. Esto equivale a confesar que *Tirant lo Blanc,* el cual aparece en dos ediciones limitadas en el siglo XV y no vuelve a aparecer hasta el siglo XIX, no tuvo el éxito que nosotros podríamos suponer.

No es nuestro próposito aquí el examinar este fracaso, sino el asentar un breve bosquejo histórico. Sin embargo, muchas preguntas quedarán aún por responder, tales como: ¿A qué se debe este silencio secular del *Tirant?* ¿Por qué los italianos tienen tres ediciones entre los años 1538 y 1611, comparada con la única traducción y edición castellana de 1511, sobre la que la edición y traducción italianas se basan? ¿Fue la lengua la que la sentenció a permanecer en el silencio de la "cárcel de la lengua lemosina" como le pasó a Ausiàs March, según expresión de Montemayor, [1] o fue el estilo el que se adelantó en cuatro siglos a la creación de la novela moderna, según Dámaso Alonso [2] ? Dejaremos estas cuestiones para la crítica y nos concentraremos solamente en una de ellas: ¿fue el estilo el culpable de este fracaso? Esta cuestión va a quedar sin responder. Sin embargo, intentaremos analizar el estilo de esta obra, que según la opinión de la crítica moderna, es realista. El primer y más respetado crítico del *Tirant,* y el que indirectamente despertó la atención de la crítica moderna sobre esta obra, fue Cervantes, que no duda en afirmar: "que, por su estilo, es éste el mejor libro del mundo. Aquí comen los caballeros y duermen y mueren en sus
|

[1] Amadeu Pages, *Les obres d'Auziàs March* (Barcelona: Institut d'Estudis Catalans, 1912), I, 68.
[2] Dámaso Alonso, *"Tirant lo Blanch,* novela moderna," en *Antología crítica* (Santander: Escelicer, S. A., s. f.), pp. 179-195.

camas, y hacen testamento antes de su muerte con otras cosas que todos los demás libros de este género carecen. Con todo eso, que merecía el que lo compuso, pues no hizo tantas necedades de industria, que le echaran a galeras por todos los días de su vida" (Parte I, cap. VI).

Varios puntos se desprenden de esta cita. El primero, y más obvio, es el entusiasmo de Cervantes por este libro al que salva de las llamas purgativas. El segundo es que Cervantes afirma que este libro contiene personajes, no tomados del mundo de la ficción y fantasía, como los demás libros de caballerías, sino de la vida real. Aquí, los personajes, lejos de estar en el pedestal de lo fantástico, están sobre el suelo, son terrestres; y que, por lo tanto, "por su estilo, es el mejor libro del mundo." El estilo es obviamente realista. Un estilo que desplazado en un mundo caballeresco hace reír a Cervantes, a juzgar por el examen que éste hace de personajes como la Viuda Reposada, Plaerdemavida, Kirieleisón de Montalban, etc.

Es este realismo el que hace pensar a J. M. Warren [1] que tiene enfrente una parodia del mundo caballeresco. Se fija Warren en los episodios que por su humorismo podrían muy bien ser considerados como parodia de la realidad: el desafío de Tirant con el caballero francés Vilesarmes, en que los dos se baten en paños menores con escudos de papel y guirnaldas de flores en la cabeza; la lucha de Tirant con un perro, en la calle —en contraposición a los desmesurados mons-

[1] *A History of the Novel Previous to the Seventeenth Century* (New York, 1895), pp. 175 y sigs.

truos de los libros de caballerías—; el constante sensualismo erótico, tan opuesto al ideal caballeresco; las bufonadas sacrílegas, como el rezo de la Emperatriz en el capítulo CCLV y otros episodios.

A esta interpretación paródica del libro, objeta Menéndez y Pelayo, quien se fija en las empresas guerreras de Tirant, y sobre todo, en los métodos racionales, que le hacen triunfar en ellas, que, por su estrecha asociación a la realidad, le hacen afirmar que *Tirant lo Blanc* "es uno de los mejores libros de caballerías que se han escrito en el mundo, para mí, el primero de todos después del *Amadís,* aunque en género muy diverso... No es el *Tirante* una parodia sino un libro de caballerías de especie nueva." [1]

Conviene fijarnos en la crítica vaga de Menéndez y Pelayo al afirmar que el *Tirant* es un libro de caballerías "en género muy diverso" o "de especie nueva." No afirma explícitamente, aunque sí de hecho, el realismo del *Tirant,* que es lo que hace a este libro "nuevo," dentro del género a que éste pertenece. Más aún, Menéndez y Pelayo afirma que Tirant, más que un caballero, es un "hábil capitán" (Ibid.).

Dámaso Alonso, que dedica un pequeño ensayo al Tirant, acaba afirmando que en este libro "ha muerto el héroe de la caballería y ha nacido el héroe de la novela" ("*T. lo B.,* novela moderna," p. 194). En este estudio, dice D. Alonso que el *Tirant* es un ensayo de novela moderna en el siglo XV. Se fija en la vitalidad

---

[1] Marcelino Menéndez y Pelayo, *Orígenes de la novela* (Santander: Aldus, 1943), I, 393.

de la narración, la cual está llena de detalles y pormenores no esenciales, a los que califica de "verosimilitud distinta añadida a la esencial de la narración" (Ibid., p. 182), también llamada evidencia lateral o circunstancial, que la crítica inglesa atribuye a Defoe, pero que, sin embargo, es ya esencial en Martorell.

Este pequeño detalle, esta observación minuciosa de la realidad, es la que define a *Tirant* dentro de la novela realista.

Martí de Riquer, que ha dedicado una obra a la influencia de la realidad en la literatura caballeresca y de ésta en la realidad de la vida de la nobleza del cuatrocientos, clasifica a *Tirant lo Blanc* y a *Curial e Güelfa* en una subcategoría de los libros de caballerías a la que llama "novelas caballerescas" [1], en cuanto que éstas carecen de la desbordante fantasía de los libros de caballerías. Estas novelas catalanas que siguen la línea, bien autobiográfica, bien realista, del *Jehan de Saintré,* del *Roman de Jehan de Paris,* o del *Livre des faits de Jacques de Lalaing,* carecen casi por absoluto de elementos fantásticos, maravillosos, sobrenaturales o increíbles, de manera que, en su mayor parte, son una copia de la realidad social de aquel tiempo, en que la vida caballeresca, dinámica y activa, estaba al orden del día en "pasos" o lances caballerescos, de los que están repletas las crónicas reales y de la nobleza de aquella época. Esta vitalización de la vida caballeresca estaba influida por este género literario, al

[1] Martí de Riquer, *Història de la literatura catalana* (Barcelona: Ariel, 1964), II, 575 y sigs. Véase, también, su obra *Cavalleria fra Realtà e Letteratura nel quatrocento* (Bari: Adriatica, 1970), y su ed. cit. de *Tirant lo Blanc,* prólogo en el vol. I.

que, a su vez y recíprocamente, contagia, en un proceso simbiótico, produciendo la "novela caballeresca."

Ahora bien, antes que podamos proseguir adelante nuestro estudio, es necesario examinar y dejar asentada la noción de realismo.

A. EL PROBLEMA DEL REALISMO LITERARIO

1. *Diversidad de opiniones*

El concepto y definición de realismo, es sin duda, uno de los tópicos más debatidos entre todos los críticos de la literatura. Desde las célebres polémicas de nominalistas y realistas de principios de la Edad Media hasta nuestros días, no nos hemos puesto de acuerdo en definir lo que sea la realidad. El realismo es una cualidad de la realidad, pero a menos que se llegue a un acuerdo, al que aún no se ha llegado, de lo que sea la realidad, resulta imposible definir, como consecuencia, lo que sea realismo. La gama de opiniones sobre el tema es de lo más variado, desde las más acercadas entre sí a las más opuestas, contrarias y aun contradictorias. Esta actitud del crítico literario frente al problema del realismo, está basada en el fallo de la filosofía en definir la realidad; fallo que, a su vez, está parcialmente dictaminado por la necesidad de explicar ciertos dogmas del cristianismo, los cuales, de acuerdo con la tradición escolástica medieval, no podían, ni aún pueden, estar en evidente repugnancia con la sana filosofía; lanzando, en consecuencia, a la filosofía medieval en un maremágnum de posiciones conflictivas e irreconciliables.

Más adelante tendremos que marcar una línea divisoria entre el realismo filosófico y la idea de realismo como estilo literario; sin embargo, puede en cierta forma ayudarnos a comprender la controversia en torno al realismo literario, el examinar las polémicas medievales de los realistas y nominalistas.

El neoplatónico Porfirio, en su obra *Isagoge*, traducida por Boecio, se plantea el problema sobre la existencia o no existencia de los géneros y especies, a la cual él no da respuesta. [1] Los escolásticos medievales se dividen profundamente al enfrentarse con el problema. De un lado están los "realistas" (Escoto Erígena, San Anselmo, Guillermo de Champeaux), según los cuales los géneros y especies tienen existencia real y están presentes en todos los individuos que caen bajo ellos, siendo accidentales las únicas diferencias individuantes. Esto coloca a los "realistas" al borde del panteísmo, pero explica perfectamente la diseminación del pecado original.

Los "nominalistas," encabezados por Roscelino de Compiègne y el esbozador de la doctrina en el siglo IX, Rábano Mauro, defienden la tesis contraria: los universales no existen, sólo existen los individuos. Los universales son un mero saber virtual. Esta doctrina,

---

[1] Federico Carlos Sáinz de Robles, *Ensayo de un diccionario de literatura*, I (Madrid: Aguilar, 1954), s. v. "realismo." Cf., también, Frederick Copleston, *A History of Philosphy*, vol. I, pt. II (Garden City, N. Y.: Image Books, 1962), pp. 216-218.

aplicada a la Trinidad, conducía al "triteísmo," condenado en el Sínodo de Soissons (1092).

La lucha continuó, aunque más moderadamente, entre el nominalista Ockham y el realista moderado Tomás de Aquino; más aún, casi tres siglos más tarde, estas posiciones prosiguieron prácticamente inalterables con Thomas Hobbes (1580-1679) y John Locke (1632-1704).

En resumen, que toda la cuestión queda así planteada: ¿Qué es la realidad? ¿Es una idea superior al ser concreto que abarca y vive en todos los seres? ¿Resulta entonces que lo concreto no es real, sólo un accidente, un puro fenómeno que engaña a nuestros sentidos? De ser así, estaríamos defendiendo una idea, una concepción subjetiva, un mundo platónico, que, paradójicamente, en vez de ser idealista es realista. Sería como afirmar que Platón fue el único vidente de la realidad y Aristóteles un idealista. Sería como afirmar que los nominalistas, los defensores de lo individuante, de lo concreto, son idealistas y los defensores de una idea superior y universal son realistas. Sin embargo, el *Diccionario de la Real Academia* define el realismo como: "Tendencia a afirmar la existencia objetiva de los universales. En este caso equivale a idealismo y se opone a nominalismo." [1]

Una posición semejante se halla hoy en día entre los críticos del realismo literario y, no tan distante de la posición medievalista sobre la realidad. Desde este punto de vista, paralela a la posición realista (que de

---

[1] *Diccionario de la Real Academia,* 19.ª ed. (Madrid: Espasa-Calpe, 1970), s. v. "realismo."

acuerdo con el *Diccionario* es idealista), es el concepto que del realismo literario tiene McClelland:

There is in the greatest "hu·nan" artists a sense of realism which leads them beyond the physical, definable, and comprehensible aspects of man's life, to the shifting, unsubstantial and even unintelligible motives by which he is controlled. It turns their observations into insight. It shows them that the most illuminating moments of life are those in which a man becomes aware of the limited nature of his own reason and that the most solid fact of existence is the pressure on his limited reason of those very realities which he cannot comprehend. [1]

En otras palabras, que el artista está convencido de las realidades que están fuera de su alcance y que su mente es lo suficientemente realista que "it will boldly face the broad and bewildering fact of reality-beyond-reason. Instead of retreating when it has reached those strained limits, the barriers precariously perched at the end of man's comprehension, it will defiantly stare at the dizzy reality of infinite mistiness" (Ibid., p. 23).

Y hablando de Tirso de Molina en *El condenado por desconfiado*, afirma McClelland que:

The author is less engaged in interpreting a theory than in demonstrating a fact, if the experience is too subtle to be reproduced by physical means of speech and action, he will try to suggest it by means of atmosphere, of mind in which abstract realities may

---

[1] I. L. McClelland, *Liverpool Studies in Spanish Literature*, Chapter I, "A Sense of Realism" (Liverpool, 1948), p. 23.

acquire meaning. The true realist instinctively takes his bearing from a point in man's inarticulate motives. (ibid., p. 24)

Según McClelland, de las tres figuras literarias más universales (Hamlet, Don Quijote y Don Juan), que son ejemplares de la expresión de la realidad desconocida, dos son españoles, "for Spanish realism, as everyone knows, can be as impractial and unmaterialistic as it is spiritually and mentally close to life" (Ibid.).

Definiendo el realismo, y especialmente el realismo español, desde el punto de vista de lo indefinible, de lo abstracto, del empeño de mostrar la realidad transcendente, resulta que las obras más realistas españolas serían los autos sacramentales, o las obras de tesis, como el *Don Juan, El condenado por desconfiado, La vida es sueño* y las que siguen esta línea. Es decir, que no siendo la realidad lo que se palpa o se percibe a través de los sentidos, el idealismo español se transformaría en la expresión más genuina de la realidad. Resultaría entonces que los amores castos y platónicos del *Amadís* son más realistas que las escenas eróticas del *Tirant lo Blanc*. La relación que existe en esta posición frente al realismo literario y la "realista" frente a los universales, reflejan cierta similaridad de raciocinio. Hasta qué punto la posición filosófica frente a la realidad influye la de McClelland frente al realismo, no se podría precisar, pero evidentemente el fallo en definir el concepto de realidad afecta en cierta forma a la noción confusa que existe sobre el realismo.

Contra esta posición de McClelland se levantan la mayoría de las teorías que tratan de lo individual, de lo concreto. Teorías, que de ser puestas en los términos filosóficos medievales, las tendríamos que llamar "nominalistas." Para éstos, el realismo es la descripción de la vida concreta. La definición del *Diccionario de la Real Academia (op. cit.,* s. v. "realismo") de realismo literario dice que es "un sistema estético que designa como fin a las obras artísticas o literarias la imitación fiel de la naturaleza." Naturalmente, las acciones, las reacciones humanas y la realidad circundante o ambiental, están dentro del marco de la naturaleza, de suerte que, hablando en términos estrictos, difícilmente se halla una obra literaria que no sea realista. Por otra parte, los críticos han querido limitar el realismo a ciertas formas y categorías. Así, Sherman Eoff afirma que "the revival of the Spanish novel in the nineteenth century coincides with the growth and acceptance of realism in Spain." [1]

No sabemos qué es lo que Eoff entiende por realismo, pero si éste entiende, como la mayoría de los críticos, una imitación de la realidad, entonces nos da la impresión que Eoff se ha pasado por alto toda la tradición realista española, desde las *Cantigas de amigo,* las *ḥarǧa*-s mozárabes, el *Libro de buen amor, La Celestina,* el *Corbacho,* el *Spill,* toda la picaresca y la novela costumbrista española. La forma de hablar de un pueblo es otra nota realista, y es en la literatura española donde alcanza más desarrollo, hasta el punto de convertirse en una nota característica (el popularismo) en toda nuestra historia literaria. Hecho comúnmente aceptado por la mayoría de los críticos hispanos

[1] Sherman H. Eoff, "Pereda's Concept of Realism as Related to his Epoch," *Hispanic Review,* 14 (1946), 281.

y no hispanos. Aceptando el lenguaje popular, Alfonso X tradujo nombres científicos, y por la misma razón Santa Teresa escribía que "también entre los pucheros anda el Señor." Es, por lo tanto, arbitrario el limitar el realismo a ciertos períodos, tales como el siglo XIX, y poner en cabeza a ciertas literaturas, en este caso la francesa.

Creemos que sería más apropiado, en vez de hacer afirmaciones categóricas, el estudiar las formas y la cuantía en que el realismo aflora en una obra artística, y de ahí, deducir cuál es la nota predominante, antes de clasificar una obra literaria.

Es asimismo peligroso hacer afirmaciones categóricas sobre la literatura española, por cuanto, como dice del Río, en ésta "se percibe una marcada asincronía en relación con el ritmo evolutivo de otras literaturas europeas... esa asincronía es quizá más marcada en la literatura española... Probablemente la asincronía a que nos hemos referido explica o determina varios caracteres de la literatura española, especialmente el que en ella aparezcan, combinados y hasta fundidos, temas y actitudes estéticas que en otras literaturas se presentan como antitéticos o como productos bien diferenciados de distintas épocas."[1] Conviene aquí mencionar, de paso, las *Cantigas* de Alfonso X y las *de escarnio* contra algunos poetas; los ideales caballerescos y vida rufianesca; fusión de lo divino, humano y religioso; la alta moralidad y la sátira obscena. Todo fundido en plena armonía.

---

[1] Angel del Río, *Historia de la literatura española* (New York: Holt, Rinehart and Winston, 1963), I, 6 y 7.

A esto añade Dámaso Alonso que "este eterno dualismo dramático del alma española será siempre la ley de unidad de su literatura." [1] Y lo mismo afirma Farinelli. [2]

Si, por lo tanto, tenemos que aceptar la definición del *Diccionario de la Real Academia* sobre el realismo, resulta que tendremos que concluir que no existe, estrictamente hablando, tal corriente literaria. No siendo la obra artística producto del acaso, sino de la mente del artista, éste tiene que colorear forzosamente la realidad tal y como él la percibe, que puede ser muy diferente de la que el lector y otro escritor pueda percibir. Una pequeña exageración, un epíteto o adjetivo puede cambiar lo que es feo en un poco más feo, lo típico en algo menos típico o demasiado típico, o lo bello en algo diferente. Dice J. L. Alborg que "resulta muy difícil precisar el exacto concepto de realismo y trazar sus límites, que, en ningún caso, deben ser tomados a la letra, ni es nunca posible la copia exacta de la realidad... También de otro lado suele confundirse fácilmente el realismo con la exageración y la violencia de los rasgos escogidos; aspecto que no constituye una prueba de la realidad, sino más bien una deformación caricaturesca, cuyo nombre más apropiado sería el de convencional estilización." [3] La exageración de lo hereditario con colores lóbregos y degradantes a que llega el naturalismo, no se puede objetivamente tomar como realista.

---

[1] *Ensayo sobre poesía española* (Madrid: Revista de Occidente, 1944), p. 26.
[2] *Divagaciones hispánicas* (Barcelona: Bosch, 1936), I, 77-116.
[3] J. L. Alborg, *Historia de la literatura española* (Madrid: Gredos, 1970), I, 21.

Georg Lukács[1] afirma que las contribuciones del naturalismo y psicologismo no han enriquecido, sino empobrecido la literatura, en cuanto que la atención del escritor se concentra en aspectos parciales de la vida. Según este autor, el realismo pide que se pinte a la sociedad y al hombre como entidades completas o el trinomio hombre-sociedad-y las relaciones entre ambos.

Naturalmente, existe una tercera posición frente al realismo: la de aquellos que niegan su existencia, "finding the term pretentious for what is after all mere reportage, not art, and is in addition based on a naive methaphysics."[2]

Puesto que nadie se pone de acuerdo en definir lo que sea realismo, pero paradójicamente admiten que ciertos períodos y ciertas obras son realistas, tendremos que analizar el realismo desde otro punto de vista bastante diferente. Aceptado comúnmente que hay, en efecto, un estilo de expresión literaria que se llama realista, lo único que queda por estudiar es en qué consiste este realismo, o qué es lo que hace que una obra, un párrafo, o una expresión sean realistas: ¿es su poca o su mucha conexión con una realidad objetiva, o es, por el contrario, la impresión que de realidad produce en nuestros sentidos?

2. *El concepto clásico, grecolatino, de realismo y sus grados.*

[1] *Studies in European Realism* (New York: Grosset and Dunlap, 1964), prólogo.
[2] George J. Becker, *Documents of Modern Literary Realism* (Princeton, N. J.: Princeton University Press, 1963), prólogo, p. 3.

Siendo el objeto de nuestro estudio el realismo de *Tirant lo Blanc,* ya aceptado por la crítica, tendremos que asomarnos a esta obra con un concepto de realismo más claro y, en cierto modo diferente, del que hasta ahora ha sido objeto de tanta controversia y confusión. Consideramos esencial para este estudio el adoptar las nociones y los grados de realismo que nos ha legado la literatura clásica grecolatina.

Los diccionarios de la literatura, las historias literarias y la crítica en general, aceptan como realismo aquello que representa la realidad, la naturaleza, en cualquier forma o expresión. Hablan asimismo de una época realista en la literatura. Esta corriente realista llevada al extremo con cierto fatalismo filosófico de la vida, se transforma, más adelante, en naturalismo, psicologismo, etc. El énfasis se ha puesto, por lo tanto, en el trasfondo real que exista en la obra literaria, como elemento esencial al realismo. Sin embargo, leemos en la *Poética* de Aristóteles, según la edición de G. F. Else, que "One should, on the one hand, choose events that are impossible but plausible in preference to ones that are possible but implausible." [1] Es decir, que Aristóteles y la tradición clásica grecolatina, como veremos más adelante, considera como elemento primordial del realismo la "verosimilitud," siendo la realidad algo muy secundario y en ciertos casos hasta innecesario al realismo. Según la retórica clásica latina, la "narratio probabilis, verisimilis o credibilis" tenía como finalidad convencer al público de la realidad del contenido. "Probabilis erit narratio, si in ea videbentur

---

[1] Aristotle, *Poetics,* ed. y trad. de G. F. Else (Ann Arbor, Mich.: Michigan University Press, 1970), p. 66.

inesse ea quae solent apparere in veritate." [1]

Añade Lausberg, que "cuando el contenido de la 'narratio' que responde a la realidad, hay que presentarlo de manera convincente, se deben emplear a este fin los recursos del arte, pues la realidad de los hechos todavía no es en sí completamente verosímil. La 'narratio probabilis' trata de crear en el juez (público) la persuasión por medio de recursos artístico-psicológicos que no deben aparecer abiertamente como tales" (Ibid, I, 285) Vemos, por lo tanto, que de acuerdo con la preceptiva clásica la base del realismo radica en la "verosimilitud," siendo el hecho histórico, real, secundario e innecesario. Es como el mentiroso que miente bien, sin sonrojo, sin duda, sin pestañeo. Por el contrario, una persona veraz puede dar la impresión de mentirosa a menos que conozca los recursos necesarios de persuasión.

Define el *Diccionario de Autoridades* el realismo como "sistema que asigna como fin a las obras artísticas o literarias la imitación fiel de la naturaleza." [2] Sin embargo, la crítica literaria ha, de hecho, desvirtuado la palabra "imitación" en favor del "fondo real." Cuando se trata de estudiar los elementos realistas de una obra o de un autor, se fija el crítico en aquellos elementos que efectivamente se dan en la realidad, como el elemento tiempo, espacio, situación; es decir, que el realismo más que invención o recurso artístico se convierte en lente fotográfica, descartándose aquellos

[1] Heinrich Lausberg, *Manual de retórica literaria*, trad. de José Pérez Rioseco (Madrid: Gredos, 1967), I, 283.
[2] *Diccionario de Autoridades* (Barcelona, s. f.), IV, s. v.

elementos de ficción, producto no de la realidad, sino de la mente creadora del autor. En este caso, sólo lo rigurosamente histórico, en el hecho concreto o en la realidad social, representa el realismo literario. Es decir, que se produce, no una imitación, sino una fusión de realismo y realidad: "...most critics deny the existence of a realist aesthetic, finding the term pretentious for what is after all mere reportage, not art..." (Becker, *op. cit.*, p. 3).

Toda esta confusión no existiría de aceptarse la noción grecolatina de realismo, del "monstrare," lo cual no es un mero informe del hecho, sino una categoría artística y, por lo tanto, creativa. Si tenemos presente que el concepto clásico de realismo se basa en la verosimilitud y no en el hecho real, el realismo se convierte en creación, en forma artística, que admite grados diferentes de expresión, dependiendo, por un lado, en la extensión o intensidad en que lo real es implicado o excluido y, por el otro, en el manejo de la verosimilitud, que es la que, en última instancia, dictaminará los grados de realismo de una obra. De ahí que lo ilógico y lo incomprobable tienen cabida dentro del estilo realista, siempre que se guarde la verosimilitud: "Para dar color de verosimilitud a su obra, el poeta puede expresar su asombro y hacer ver que la realidad de lo que parece inverosímil no repugna a la verosimilitud" (Lausberg, *Retórica literaria*, II, 459). Otras condiciones que cita Lausberg para el uso de lo ilógico son que esté al servicio del objeto nuclear de la mimesis y que se haga menos llamativo lo absurdo mediante los recursos de invención y estilísticos. En el *Dictionnaire de la Langue Française*, Littré cita a Voltaire, el cual afirma que "le merveilleux même doit

27

être sage..."[1]

Esta separación de lo verosímil y lo real, con énfasis en lo primero, en que se basa el concepto clásico de realismo, es esencial en nuestro estudio por encontrarnos en el *Tirant* con numerosos casos de realismo en que la situación es improbable, pero verosímil. En el capítulo CCLX, Hipòlit, después de encender la lujuria en la vieja Emperatriz le dice: "—Senyora, la majestat vostra m'haurà de perdonar, que jamés entraré en la cambra fins a tant que lo meu desig senta part de la glòria esdevenidora. E pres-la en los braços e posa-la en terra, e aquí sentiren l'última fi d'amor" (II, 154). Es muy difícil imaginarse a una Emperatriz de Constantinopla tendida y seducida en tierra por un cortesano de segunda categoría. La reacción que nos produce la lectura de esta escena, es de hilaridad. Efectivamente la escena resulta grotescamente cómica. Inconscientemente sabemos que un caso así se da y se puede dar con personas de baja categoría, pero resulta improbable cuando colocamos en el escenario a una persona de tan alta prosapia como era la Emperatriz de Constantinopla. Sin embargo, todo el capítulo va incrementando la verosimilitud del desenlace final, hasta convertir lo improbable en realista, es decir, en verosímil.

Escenas de este tipo de realismo, en que el elemento de verosimilitud se superpone al de improbabilidad, se dan con frecuencia a lo largo de la obra, sobre todo en lo referente a la descripción de la corte y del Emperador de Constantinopla. En el capítulo CCXX se

[1] Littré, *Dictionnaire de la Langue Française* (Paris, 1956-1958), s. v. "Réalisme."

28

celebran las bodas de Diafebus con Estefania, sobrina del Emperador, y se desarrolla una escena llena de comicidad:

La primera nit que donaren la nòvia al Conestable, Plaerdemavida pres cinc gats petits e posà'ls en la finestra on dormia la nòvia, e tota la nit jamés feren sinó miular. E Plaerdemavida, aprés que hagué posats los gats, ana-se'n a la cambra de l'Emperador e dix-li:

—Senyor, anay cuitat a la cambra de la nòvia, que lo Conestable haura fet més mal que no es pensava, que grans crits hi he sentits; gran dubte em fa que no haja morta a vostra cara neboda, o, almenys, mal nafrada; e vostra majestat, qui li és tan afix parent, vaja-li ajudar. (II, 69)

El Emperador se levanta, se viste y se va con la doncella a la puerta de la habitación "e escoltaren un poc." Al no oír nada, Plaerdemavida exclama:

—Na nòvia, com estau vós ara que no cridau ni dieu res? Par-me que ja us és passada la dolor i la major pressa de la batalla: dolor que et vinga als talons!, no pots un poc cridar aquell saborós ai? Gran delit és com se ou dir a les donzelles. Senyal és, com tu calles, que ja t'has enviat lo pinyol... Vet ací l'Emperador que t'està escoltant si cridaras... (II, 69-70)

El Emperador ordena a la doncella que calle y que no diga que él está allí, a lo cual se niega la doncella. Poco más tarde se dirige la Emperatriz a la puerta de la habitación y desde lejos divisa al Emperador con tres doncellas escuchando detrás de la puerta. Al llegar la Emperatriz, Plaerdemavida le dirige la palabra:

—Moriu-vos prest, senyora, vejau que m'ha dit lo
senyor Emperador, que si no tingués muller que no
pendria altra sinó a mi; e per l'ofensa que vós me féu,
moriu-vos prest i molt prest.

—Ai filla de mal pare! —dix l'Emperadriu—, e tals
paraules me dius? —E fon-se girada devers l'Emperador—: I vós, en beneit, per a què voleu altra muller,
per dar-li esplanissades e no estocades? (II, 70-71)

Martorell nos pone ante los ojos una escena excep-
cionalmente realista en todos los detalles. Una escena,
sin embargo, cómica. Esta comicidad resulta del hecho
de que ha hecho verosímil, realista, algo que no se da
o no es probable que se dé en realidad, pues resulta
casi imposible el imaginarse a gente tan egregia en
una situación tan impropia; como tampoco es común
hallar a una Experatriz que use un lenguaje tan picante y popular.

Estudiando el mecanismo de lo cómico, dice Bousoño
que "cuanto mayor sea la distancia entre la realidad y
la evocación, más grotesco será el resultado." Antes
había afirmado: "Es precisamente la desmesura del
símil el estimulante de la carcajada." [1] Precisamente,
lo cómico es hacer verosímil lo que no se da en la
realidad. La conciencia que tenemos de esta disocia-
ción nos produce hilaridad. A menos, por lo tanto, que
aceptemos el concepto clásico de realismo, en que el
elemento constituyente es la imitación, la verosimilitud,
y no la más o menos conexión directa con la realidad,
como ha sido sostenido hasta ahora por la crítica lite-

---

[1] Carlos Bousoño, *Teoría de la expresión poética* (Madrid:
Gredos, 1962), p. 114.

raria, tendríamos que negar el realismo de éstos y muchos pasajes del *Tirant lo Blanc*, y resultaría, asimismo, difícil explicar la naturaleza de lo cómico y de lo paródico.

Conviene analizar ahora las diferentes formas o posibilidades de expresión del realismo. Nos ha sido necesario, sin embargo, estudiar el papel primordial de la verosimilitud, de la "narratio probabilis," porque, hasta ahora, ha representado un papel muy vago y secundario en la crítica moderna, que se ha fijado más en la conexión del elemento realista con la realidad misma. Ya hemos expuesto este malentendido. Conviene ahora que nos fijemos en el factor realidad. Lógicamente, si la finalidad de la verosimilitud, elemento primordial del realismo, es poner delante de nuestros ojos algo que, exista o no, represente la realidad suministrada por la experiencia del mundo circundante, quiere decir que la realidad, no necesaria históricamente, es el punto de apoyo de la creación realista. En otras palabras, el realismo es un recurso literario, una creación que representa la realidad concreta, pero para el que la realidad concreta, histórica, no es absolutamente necesaria. Por lo tanto, dependiendo de los grados de totalidad y derechura en que la realidad sea representada, habrá varias formas o posibilidades de realismo.

En la cita antes mencionada de Aristóteles, prefiere éste lo imposible pero verosímil a lo posible e inverosímil. Lo que se desprende de esta cita es la importancia de la verosimilitud, pero esta antítesis puede resolverse en una síntesis más prefirible: lo posible y verosímil. "Una realidad del mundo que nos rodea puede copiarse en dos grados de totalidad: con una exhaustividad exacta que reproduce todos los detalles de la misma realidad (καθ'έκαστον) o con una totalidad rápida y esencial (καθολου), en la que el detalle, no responde tanto a la realidad, cuanto más bien a la función del conjunto" (Lausberg, *Retórica literaria*, II,452). Aristóteles afirma:"η μεν γαρ ποίησις μαλλον τὰ καθολου ἡ δίστορα τα καθ'έκαστον λέγει" [1]

La καθ'έκαστον es la mímesis utilizada por la ciencia, la historia, cuyo ejemplo lo tenemos en Herodoto (Ibid., 51b, 2), consistiendo en el "esfuerzo por representar en la historia el acontecer real. Tiende pues a la verdad" (Lausberg, *Retórica literaria*, II, 453). Lausberg considera el "positivismo" la forma más pura de esta clase de mímesis. Sin embargo, aún aquí "hay que observar que la representación es siempre una mera mímesis de la realidad: la mímesis tiene que servirse de la lengua y de los hábitos mentales vigentes en el contorno social, si quiere representar la realidad" (Ibid., II, 453). Nótese que incluso en esta forma de mímesis, es lo verosímil, representado por el uso del lenguaje —recurso literario—, el factor más importante. Este factor se hace aún más patente cuando se quiere representar la totalidad rápida y esencial (καθόλου): "para conseguir pues la perfección integral del trozo de realidad tratado (por ejemplo, de un proceso histórico), mediante la verosimilitud y la necesariedad, el poeta tiene que añadir algo a la realidad o trozo de realidad tratado (proceso histórico), suprimir algo, trastocar unas partes, suplir otras" (Ibid., II, 454).

---

[1] Aristotle, *Poetics*, ed. de Ingran Bywater (Oxford: Clarendon Press, 1909), 51b, ls. 6-7.

El *Tirant*, en que "la història i la faula, la realitat i la invenció, la veritat i la fantasia, es barregen en forma pintoresca,"[1] participa, por lo tanto, de dos formas de realismo, lo posible y verosímil (las trazas históricas) y lo imposible y verosímil (lo paródico, lo absurdo). En muchas escenas nos encontramos con la historia —en que se suprime algo, se trastoca algo y se suple algo (Rodas, Constantinopla)— descrita con una minuciosidad casi científica (καθέκαστον), pero al mismo tiempo rápida y esencial (καθόλου), necesaria a la verosimilitud de la obra total.

No podemos estar de acuerdo con Montoliu cuando afirma:" "Aquest caràcter realista, sempre latent en tota la nostra producció medieval, seria encara més palès si, com sospita Martí de Riquer, els personatges del *Tirant lo Blanc* fossin disfresses de persones de carn i ossos que l'autor coneixia" (Ibid., p. 92).

Evidentemente, Montoliu está equiparando lo realista a lo histórico, como la mayoría de los críticos han hecho. La historicidad exhaustiva en *Tirant* hubiese dado como resultado un grado positivista de realismo (lo "verum," καθέκαστον), lo cual no hubiese hecho a la obra ni más ni menos realista de lo que es, pues la ficción del *Tirant* está encajada dentro de un marco de perfecta verosimilitud. De seguir la teoría de Montoliu y de Torrente Ballester,[2] tendríamos que negar que

[1] Manuel de Montoliu, *Un escorç en la poesia i la novel.lística del segles XIV i XV* (Barcelona: Alpha, 1961), p. 91.

[2] G. Torrente Ballester, *Panorama de la literatura española* (Madrid: Guadarrama, 1961), p. 24. Hablando de los escritores españoles del XIX, afirma que: "Estos escritores son realistas en cuanto conceden al material observado primacía teórica sobre el inventado..." Más cerca de nuestro concepto de realismo está el de Galdós de la "sociedad presente como materia novelable."

los pasajes del *Tirant,* antes citados, y otros muchos ficticios, son realistas. Si no son realistas ¿qué son? ¿acaso idealistas? Puesto que la mitad del *Tirant* es ficción, tendríamos que desechar, lógicamente, la opinión de realista que sobre esta novela existe entre la mayoría de los críticos. Recordemos a este propósito el ya mencionado estudio de Dámaso Alonso.

De acuerdo con la teoría clásica de realismo, vamos a estudiar el *Tirant* dividiéndolo en sus diferentes formas de verosimilitud: lo posible y verosímil (realismo del lenguaje, de las situaciones; realismo histórico; evidencias laterales, según Dámaso Alonso; realismo social; métodos, estrategias y picardías militares); lo imposible y verosímil (situaciones absurdas, cómicas, paródicas, improbables o imposibles); lo inverosímil (los pocos elementos maravillosos que se hallan en el libro).

El análisis de lo imposible y lo verosímil lo presentaremos lo más objetivamente posible en busca de lo cómico y lo paródico, e indagaremos hasta qué punto se podría justificar el estudio de J. M. Warren antes citado.

Es conveniente ahora echar una ojeada a la tradición realista catalana en que se engendró el *Tirant,* pues en ella encontraremos, parcialmente, la explicación al realismo de nuestra obra.

B. UNA TRADICION REALISTA

El estilo realista de *Tirant lo Blanc* no es una novedad en la literatura catalana. *Tirant lo Blanc* es, probablemente, considerando el ambiente y la época en que aparece, el último eslabón de una tradición realista catalana, cuyas primicias son tan viejas como la lengua misma. Es patente al observador curicso de la literatura catalana la llaneza y verosimilitud que reviste la casi totalidad de esta literatura, producto, no de la lengua como tal, sino del espíritu positivista catalán. Entre toda la producción del llamado naturalismo español, la del valenciano Blasco Ibáñez es la más cercana al crudo naturalismo europeo de un Zola y, cuando la literatura catalana vuelve a resurgir en la "Renaixença" de mediados del siglo XIX, la "Oda a la Pàtria" de Carles Aribau es una canción al avance técnico y científico de la época que florecía en Cataluña con más vigor que en el resto de la Península.

Cataluña fue, antes de la unificación ibérica, un centro comercial con una temprana burguesía de pequeños comerciantes que se extendía por todo el Mediterráneo, al tiempo que Castilla, plagada de feudalismo y campesinato, carecía de ella. La Confederación del reino catalano-aragonés abarcaba, en tiempo de los almogávares, la casi totalidad de la cuenca mediterránea, desde las costas alicantinas hasta el ducado de Atenas, y aun el Imperio Griego. Y es desde la corte de Nápoles en que, a través de Cataluña, empiezan a infiltrarse en la Península las nuevas corrientes filosófico-literarias del Renacimiento clásico, cuyos primeros humanistas son, en su mayoría, catalanes. [1] Las cortes o concilios locales de las grandes ciudades como

---

[1] Véanse los siguientes estudios: M. de Riquer, *Història*, en su capítulo sobre Bernat Metge (II, 357-432) y Jordi Rubió i Balaguer, *La cultura catalana del Renaixement a la Decadència* (Barcelona: Edicions 62, 1964), pp. 9-25.

Barcelona y Valencia, demuestran hasta qué punto el poder burgués soportaba y al mismo tiempo limitaba al poder real. En el reinado de Joan I de Aragón, el amador de la gentileza, el Concilio de Barcelona se opone a la petición de éste de financiar los Juegos Florales en esta ciudad. Valencia se rebela asimismo contra los favoritos del rey que estaban vejando la población con impuestos exorbitantes (cf. Riquer, *Història*, II, 389-390). [1] El poder de la burguesía y del pueblo es patente en Cataluña, y Jaime I aconseja a su yerno Alfonso X el Sabio a apoyarse más en el pueblo que en la nobleza. [2] De ahí el fenómeno que se observa en la literatura catalana en general: su popularismo en el uso del lenguaje y, en resumidas cuentas, su realismo o verismo en general. Las causas de la extendida burguesía catalana, como dijimos antes, es el espíritu activo y comerciante del pueblo catalán, y en la época más brillante del Reino catalano-aragonés, finales del siglo XIII a finales del XV, se puede decir, con Menéndez y Pelayo, que:

La grandeza y prosperidad comercial de Barcelona, la hizo en breve tiempo rival de las repúblicas marítimas italianas. Y cuando los derechos de la sangre y el voto popular de los sicilianos, después de las sengrientas vísperas de Palermo, movieron a don Pedro III a recoger la herencia de Corradino y a ocupar la más grande y opulenta de las islas italianas, conducidos a la victoria por Roger de Lauria, formaron un solo pueblo durante aquella edad heroica en que el gran monarca aragonés... resucitó las muertas esperanzas de los gibe-

[1] Cf. H. J. Chaytor, *A History of Aragon and Catalonia* (London: Methuen and Company, 1933), pp. 194-203.
[2] Cf. J. M. Sola-Solé, "La España del siglo XIII y su postura ideológica," *Hispanófila*, 58 (1976), 19-33.

linos de toda Italia... Aparte de estas conquistas, los catalanes intervinieron en la historia de Italia, ya como soldados mercenarios, ya como piratas, ya como traficantes. Los siglos XIV y XV marcan el apogeo de su gloria comercial. Ya en 1307 tenían dos cónsules de su nación en Nápoles, y sus mercaderes ocupaban una calle entera. En Pisa tenían, desde 1379, no sólo cónsul, sino lonja o casa de contratación, libertad absoluta de comercio, exención de todas las gabelas impuestas a los forasteros... Pasaban como ahora por muy industriosos, ladinos y sagaces. Tenían los italianos muy vaga y confusa idea del centro de España. Sólo por excepción habían conocido algún ejemplar de los españoles de Castilla, de los "semibarbari et efferati homines," de que habla Boccaccio. [1]

Al asomarnos a Cataluña nos hallamos, por lo tanto, ante un pueblo eminentemente burgués, activo, comerciante y sagaz. La literatura ha de reflejar este espíritu y la tendencia realista será más acentuada, de acuerdo con el pueblo que la produce y para el que va dirigida.

Otro factor en ese realismo que hallamos en *Tirant lo Blanc,* y que cabe mencionar solamente de paso, sin adentrarnos en él, es el hecho de la influencia árabe, que se percibe en la región del levante español con más vitalidad, tal vez, que en ninguna otra parte de España. Eso puede dar base al evidente erotismo del *Tirant.*

En realidad, el hecho es que nuestra obra no se presenta sin una tradición realista anterior.

[1] *Historia de España* (Madrid: Gráfica Universal, 1934), pp. 66-67.

A principios del siglo XIV, casi dos siglos antes del *Tirant*, aparece *Blandín de Cornualla*, la primera novela de caballería catalana, escrita en 2394 octosílabos pareados; los héroes de la novela no son legendarios, ni proceden de tierras exóticas. El autor dice que va a cantar una historia bella de amores y de caballería:

> Et d'una francha compagnia
> Che van faire dos cavaliers
> De Cornoalha bons guerriers
> ....
> E la un (de's) si Dieu me valha
> Ac non Blandin de Cornoalha
> E l'altre si fa appellar
> Giot Ardit de Miramar. [1]

Estos caballeros proceden, por lo tanto, de sitios bien conocidos y concretos: Cornouailles y Miramar. Los dos se deciden a emprender aventuras al estilo de los caballeros ya conocidos en la literatura: "Cascun come bon cavalier." [2]   Esta frase, "come bon cavalier," se continúa repitiendo a lo largo de toda la novela. Existía, por lo tanto, en la mente del autor el héroe de caballería y sus personajes actuarán como tales, "come bons cavaliers de parage." [3]   Sin embargo, a lo largo de toda la narración nos encontramos, en medio de gigantes y dragones y hechos maravillosos de armas,

[1] *Blandín* (vv. 4-6, 9-12): "Y de una asociación libre / que formaron dos caballeros / de Cornualla, buenos guerreros. / .... / Y uno de ellos, si Dios me ayuda, / tiene por nombre Blandín de Cornualla / y el otro se hace llamar / Giot Ardit de Miramar."
[2] Ibid. (v. 22): "Como buenos caballeros nobles."
[3] Ibid. (v. 36): "Como buenos caballeros andantes."

con una naturalidad, aun en la descripción de lo maravilloso, que es aplanadora. El lenguaje es simple. Ni aun el personaje principal se escapa del diminutivo, tan popular en Cataluña. Así Blandín se transforma en "Blandinet":

> A donchas Blandinet a dich
>
> ....
>
> E Blandinet s'en es intrat. [1]

Al contrario de los otros caballeros que nunca pierden el temple, éstos parecen ser una excepción:

> (Tot) ayso vi Guillot Ardit
> De que fo fort esbait. [2]

Incluso se duerme. Al salir Blandín de la cueva maravillosa con dos doncellas a la grupa:

> Va ss'n vers Giot Ardit
> E atroban lo che s'es adormit. [3]

A despertar confiesa que tuvo miedo al ver que su amigo no regresaba:

> Ca sertas gran paor avia
> De vos quant venir non vos vessia. [4]

---

1 Ibid. (vv. 47, 76): "Entonces Blandinet dijo"; "Y Blandinet entró."
2 Ibid. (vv. 57-58): "Todo eso vio Giot Ardit / de que mucho se espantó."
3 Ibid. (vv. 191-192): "Se van hacia Giot Ardit / y hallan que se ha dormido."
4 Ibid. (vv. 205-206): "Que ciertamente tenía gran miedo / por vos cuando no os veía venir."

No recordamos otros caballeros subiéndose a un árbol, como lo hacen los pastores, para escudriñar los andurriales, excepto estos dos.

Nuestros caballeros, siendo de carne y hueso, sienten un hambre atroz. En una ocasión, Guillot se sienta en el suelo con un campesino que le invita a participar de un miserable y frugal mendrugo. En otra, Guillot, sintiendo la punzada del hambre, pregunta a su amigo:

> ...che mangeren?
> Car pauca vianda nos tenen.
> Respon Blandin: Passen nos
> Alegremen parlerem nos d'amors
> E deman nos entrobaren!
> Per grat o per forza n'aren. [1]

Más adelante Guillot pregunta a un aldeano:

> Digas, pastre, as che mangar? [2]

Que sepamos, Blandín es el único caballero que se duerme en conpañía de una dama, la cual le roba el caballo mientras tanto.

En cuanto al lenguaje, ya se empieza a divisar el realismo que plagará este género en Cataluña:

[1] Ibid. (vv. 285-290): "¿Qué comeremos? / Qué poca comida tenemos. / Responde Blandín: Pasémoslo / alegremente hablando de amores / y mañana encontraremos. / Por grado o por fuerza hallaremos."
[2] Ibid. (v. 614): "Di, pastor, ¿tienes qué comer?"

A donc Guillot enfla las narres
Et cruys las dens entre les beres. [1]

Blandín pide a un doncel:

Aquellas bestias my mostras
Car iou n'ay ja enflat lo nas. [2]

En cuanto a la materia amorosa y sentimental, no nos hallamos ante unos caballeros que languidecen en amores castos ni sublimes. No existe el erotismo de otras novelas catalanas de este género, pero tampoco el romanticismo sentimental. Blandín ve a su dama. El le gusta a ella y ella a él, y ahí acaba todo. No más efusiones ni penitencias, ni tormentos, ni galanteos. Casi parece un pacto.

Otro antecedente realista en la literatura catalana es el *Facetus* ovidiano, que, compuesto en dísticos, y siguiendo el *Ars amatoria,* daba consejos a los jóvenes refinados sobre el amor, el trato con las mujeres y la forma de seducirlas. El *Facetus,* atribuido a Catón, se empezó a difundir en Europa en el siglo XII. Del primer *Facetus* (el más antiguo), más conocido como el Catón, el *Libro de Catón* o *Los Dísticos de Catón,* que daba normas morales y educativas, no se conserva una traducción catalana en verso o no era apenas conocido; sin embargo, del segundo *Facet* sí se conserva una traducción de mediados del XIV, en que el autor anónimo catalán sigue el texto original, pero acen-

[1] Ibid. (vv. 701-702): "Entonces Guillot infló las narices / y crujió los dientes entre las barras."
[2] Ibid. (vv. 1437-1438): "muéstrame aquellas bestias / que ya tengo las narices hinchadas."

tuando, con cierta complacencia, toda la técnica descarada de la seducción. Morel-Fatio afirma que "il est visible que l'art d'aimer, qui, dans les distiques latins, se soude a l'introduction et y forme déjà le morceau de résistance, est, aux yeux du rimeur catalán la seule partie du poème qui compte, le reste ne devant servi que de prétexte et de prologue. Ce manuel du parfait séducteur est ce qui surtout l'a charmé et lui a semblé digne d'être revélé a ses compatriotes." [1]

Esta obra fue muy leída, y su influencia se echa de ver en una carta catalana que plagia el *Facet* casi a la letra (cf. Riquer, *Història*, II, 46-47). Refleja asimismo una realidad social y no nos deberá extrañar que Tirant lleve a la práctica todos los consejos del *Facet* sobre la seducción. La pregunta lógica que aquí debería hacerse es que siendo el *Facet* tan conocido en Francia y el *Pamphilus de Amore* en España, ¿cómo es que no influyeron en ellas en lo que respecta a las novelas sentimentales y de caballerías?

Es posible que el *Facet* se halle en la mente de los autores del *Tirant,* de *Jacob Xalabín* y de *Curial e Güelfa,* pero estamos en el terreno de las conjeturas. El hecho es, sin embargo, que el segundo *Facet* (el ovidiano) fue muy conocido y popular en Cataluña, del que se conserva una traducción, mientras que el otro (el *Catón*) no es conocido ni se conserva ninguna traducción en catalán. [2]   En todo caso, el que el

[1]   A. Morel-Fatio, "Mélanges de littérature catalane: III-*Le livre de courtoisie*," *Romania,* XV (1886), 194.
[2]   Martí de Riquer afirma que no existía ninguna edición catalana del Catón (*Història,* II, 44). Joseph Neve, en su edición de *Disticha Catonis* (Liege: Vaillant-Carmanne, 1926), recoge una lista

42

Facet contribuyera o no al realismo que vemos en la literatura catalana del género que estamos tratando, no es causa sino consecuencia del realismo catalán y, por lo tanto, las causas de este realismo, más que en ciertas influencias literarias externas, que son hipotéticas, deben buscarse en la sociedad y psicología catalana.

No cabe duda que las tácticas del *Facet* eran conocidas por los autores del *Tirant lo Blanc*. Veamos un ejemplo:

> Mentre aço le comptaras
> E ses lausors li retrauras
> Ve la tocar en son vestir
> Tot suaument ab greu sospir
> E vas li [e] strenyent la ma,
> Qu'eu say que mils s'escalfara
> E no aura tan forts la pensa
> Con no le y trenc qui be s'o pensa
> E la on hom la toch de ma
> 'Jochs e ris no muyren ja.'

de ediciones y traducciones de esta obra en el siglo XV, y, entre ellas, no menciona ninguna catalana. Sin embargo, existe una edición catalana del *Llibre de Cató*, ed. de Llibrés (cf. Sola-Solé, "El libro de los gatos," *Kentucky Romance Quarterly*, 1972), que en todo caso, era conocido a través de manuscritos o tradición oral. *Les Proverbes de Guylem de Cerveria* son, en su mayoría, una paráfrasis de los proverbios de Salomón. Decimos en su mayoría, porque no lo siguen al pie de la letra, sino que se apartan de él con mucha frecuencia y abundan las referencias a las canciones de gesta francesas y otros libros de la Biblia. Que tanga la misma finalidad didáctica que el *Catón*, es indiscutible; es, sin embargo, inadmisible que se identifique con el *Catón* por este solo hecho; Cf. A. Thomas, "Les Proverbes de Guylem de Cervera," *Romania*, XV (1886), 25-110.

43

E si elles vol a pensir
Nel tocament te vol sofrir,
Deus la aver en bon huyr

Mas no la vulles derrendir;
E si li fas greu lo tocar,
Jugant, rient, no deus vagar,
Ades cuxes, ades costats,
Per tu sien bien palpats
Mas non fasses con a porquer
Mas fe u con a franc cavaller. [1]

Anterior a este pasaje, el autor del *Facet* descubre el juego psicológico de ruegos y palabras que se desarrolla entre el impaciente amante y la aparentemente recatada dama. Consejo y resultado que el autor ofrece: el jugar con la dama, y entre juego y risas, besarla y abrazarla y tocarla por todas las partes sensuales. A lo largo de todo el *Tirant*, el héroe se deshace en razones amorosas con la Princesa, la cual le responde con otras tantas razones, hasta que Tirant se decide a dejar las razones serias y a jugar con la Princesa, que, como vemos, da más resultado:

---

[1] *Facet* (vv. 1151-1170), *ed. cit.* de Morel-Fatio, *Romania,* XV. "Mientras le dirás eso / y la llenarás de alabanzas, / ve tocándola en el vestido / suavemente y con triste suspiro. / Y ve apretándole la mano, / que bien sé yo que mejor se calentará / y sus pensamientos no serán tan testarudos / puesto que es difícil mucho pensar / cuando se la toca en la mano, / y en adelante los juegos y las risas / no mueran ya. / Y si ellas piensan / que te quieren sufrir el manoseo, / lo debes tener como buen augurio / pero no la quieras espantar / y si aumentas el manoseo / no debes para de jugar y de reír, / mientras la palpas bien los pechos y las piernas. / Pero no lo hagas como un porquerizo / sino como un caballero noble."

E Tirant no cura de les paraules de la princesa, sinó que s'acosta envers ella, e pres-la en los braços e besa-la moltes vegades los pits, los ulls e la boca. E les donzelles, com veien que Tirant així jugava ab la senyora, totes estaven a la cominal; pero com ell li posava la ma dejús la falda, totes eren en sa ajuda. (*Tirant lo Blanc*, II, 19-21)

Estando en estas burlas, sintieron que la Emperatriz venía a la habitación de la Princesa y precipitadamente cubren a Tirant con una sábana, mientras la Princesa se sienta encima a peinarse el cabello. Un poco más tarde vuelve a repetirse la misma escena de besuqueos y juegos. Teniendo Tirant las manos sujetas por las doncellas, alarga éste la pierna hacia la Princesa "e posà-la-hi davall les faldes, e ab la sabata tocà-la hi en lloc vedat, e la sua cama posà dins les sues cuixes" (II, 21).

Todo esto se desarrolla entre juegos, risas y burlas. Al parecer, es lo único que da resultado, tal y como lo especifica el consejo del *Facet*. Tirant, sin embargo, valenciano por parte de ambos autores, sobrepasa los consejos del *Facet*. De la oratoria persuasiva, en el caso de los amores de Hipólito y la Emperatriz, no se pasa a las burlas y las bromas, sino descarnadamente al grano. Hipólito se dirige a la lasciva Emperatriz en este tono:

—Senyora, la majestad vostra m'haurà de perdonar, que jamés entraré en la cambra fins a tant que lo meu desig senta part de la glòria esdevenidora.

E pres-la en los braços e posà-la en terra, e aquí sentiren l'última fi d'amor. (II, 154)

Esta corriente erótica salpica todo el novelario de caballería o caballeresco catalán de este siglo. En otra obra del siglo XIV, *Jacob Xalabín,* el protagonista se halla encerrado en una torre oscura con Nerguis, que está de viaje para casarse con el Rey de Satalia; se hacen el amor:

> E aquí vérets dos coratges conjunts en una voluntat de fer aquella cosa que adés no fa ací a pronunciar, però cascú e cascuna meta en sa pensa, si en semblant cas se veia, ja que faria. [1]

Mientras tanto, el amigo de Jacob, con la cara cubierta con un velo, reemplaza a Nerguis, y se adueña de la hermana del ya desgraciado Rey, pues al acostarse ésta con Alí, como "lo foc està molt perillós estant prop la palla, que si s'acosta, que per força s'ha de pendre" (Ibid.).

Este mismo realismo erótico salpica el convento de monjas donde Curial se hospeda con Festa, la doncella que Güelfa ha dado a éste como compañera, para que no le pierda de vista. Aquí las monjas llenan el diálogo de tono picante y mordaz:

> ...e aprés que.ls hagueren donat a menjar, demanaren a Festa si era muller del cavaller. Ella respòs que no. Ladoncs se miraren unes a altres, e començaren a riure, e digueren: —E, doncs, com anats en sa companyia?—. Respòs Festa: —E com! Ara és cosa nova cavaller errant menar donzella en son conduït?— Digueren elles: —No és cosa nova; mas, encara que hagen nom donzelles, són dones—. —En nom de Déu

---

[1] Citado por M. de Riquer, *Història,* II, 571.

—dix Festa— no són totes, ne jo ho seré per ell, si a Deus plau—. Ladoncs dix la priora: —No és mester que tots los homens sien mal nodrits—. Una altra començà a riure, e, parlant baix, cuidant que Festa no ho oís, dix: —Certes, vós direts ço que us plaura, mas jo no creuré hui ne demà que no faça més juntes ("combats") ab vós que ab los cavallers errants. —No me'n meravell —dix una altra—, que menys perill hi ha—. Així que totes unes de ça, altres de lla, comencaren a mordre a Festa, la qual, com se trobàs picada de cada part dix: —Jo'm pens que vosaltres lo voldríets haver per sacristà.[1]

Una monja invita finalmente a Festa a pasar la noche con ella, y otra le pregunta: "E no us valdria més convidar lo cavaller?" (Ibid., II, 48).

A todas estas influencias que han podido contribuir al realismo que estamos estudiando, añade M. de Riquer en sus dos obras antes mencionadas, el factor social, o realismo histórico —no se ha de confundir con historicidad— de los autores catalanes, en especial del *Curial* y del *Tirant,* en los cuales "s'hi troben, no res menys, tot de noms personals que corresponen als de personatges històrics que visqueren al segle XV, la qual cosa els dóna, per voluntat expressa de llurs autors, una eficaç aproximació a l'època" (*Història,* II, 577). Y lo que pasa en la época es que, "i aixó és el més important, el segle XV és ple de cavallers de debò, que van pel món en cerca d'aventures i lluitant en les més pintoresques empresses, fent vots sorprenents i participant en justes, torneigs i passos d'armes... personatges

[1] *Curial e Güelfa,* ed. R. Aramon i Serra (Barcelona: Els Nostres Clàssics, 1930-1933), II, 39.

de carn i ossos que a nosaltres ens semblen creacions de novel.listes. I aquests, els novel.listes, escriuen ficcions en les quals procuren que llurs protagonistes s'assemblin a aquells cavallers reals i vivents que tothom coneixia i admirava" (Ibid., II, 579).

Después de esta aserción, examina Riquer la realidad social que contribuyó a todo el realismo que observamos en la literatura caballeresca catalana, tal como los históricos "pasos de armas," los caballeros andantes, tanto franceses como españoles o catalanes, que intervinieron en ellos y las cartas de desafío o "lletres de batalles" de las que son una reproducción exacta las que aparecen constantemente en el *Tirant*.

II.
TIRANT LO BLANC: NOVELA REALISTA

Tantos críticos [1] han aceptado la aserción que encabeza esta parte de nuestro estudio, que uno se acerca a nuestra obra con una idea más o menos preconcebida. Sin embargo, si alguna duda o curiosidad acerca de esta aserción nos quedaba se va disipando y se transforma paulatinamente, con la lectura del libro.

Un ejemplo lo tenemos, entre otros, en Dámaso Alonso, que, aunque ya tenía conocimiento por la crítica anterior de la naturaleza y estilo del *Tirant,* no pudo menos que sentir este entusiasmo y asombro, de manera que, acabada su lectura, califica al *Tirant* de "novela moderna," y afirma, al mismo tiempo, que: "a este Joannot Martorell no le veo lejano, al fondo de la oscuridad medieval. Le veo muy próximo, contemporáneo: un contemporáneo. Tiene ese gesto cansado, desilusionado, sólo incansable en la sensualidad, triste y al par burlón, del europeo de nuestros días" (*"T. lo*

---

[1] Nos referimos a críticos ya citados en la primera parte de este estudio y a algunos más que iremos mencionando en el progreso del mismo.

B., novela moderna," p. 191). Es mucho afirmar, considerando que estamos en el siglo XV, a más de cien años del nacimiento de la novela realista del Siglo de Oro, y de la explosión del espíritu burgués, positivista del Renacimiento. No obstante, tanto el lenguaje como los valores espirituales y humanos reflejan esa fragmentación positivista que ahoga el ideal unitario de los siglos medios. Dámaso Alonso llega a esta conclusión, no sin un examen detenido de la forma y del contenido de nuestra obra.

Dejando el fondo, el mensaje humano y espiritual, que analizaremos más adelante, nos detendremos a examinar la forma, el estilo, que es el objeto primordial de nuestro estudio.

A. LO POSIBLE Y VEROSIMIL

Es la forma de realismo en que los elementos realidad y verosimilitud se complementan mutuamente; comúnmente aceptada por la crítica moderna y, al mismo tiempo, la alternativa más aceptable, y antes apuntada, entre lo imposible y verosímil y lo posible e inverosímil. Caben dentro de esta forma de realismo, tanto el hecho estrictamente histórico y concreto, como el lenguaje, situaciones, onomástica, toponimia, detallismo minucioso, efectos miméticos en el uso del lenguaje, etc.

Para darnos una idea de la obsesión que el autor del *Tirant* tiene por mantenerse dentro de los límites de la verosimilitud, de la credibilidad, basta examinar uno de los pocos episodios, en que la fantasía desbordada, al estilo de los demás libros de este género, traiciona este buen propósito y nos choca, por lo inesperado del relato. Uno se siente a punto de condenar tal entuerto, cuando el autor mismo nos sale al paso, al fin del relato, y, consciente de su error, se justifica diciendo que "estaven admirats del que havien vist, que paria que tot fos fet per encantament" (*Tirant*, II, 42, cap. CXCIX). Con esta afirmación, tan simple y candorosa, colocada al final del episodio del Rey Arturo en Constantinopla, el autor trata de rectificar aunque tarde la anomalía cometida; parece como si hasta notásemos cierta timidez y vergüenza por el desgraciado incidente. Es como si el escritor confesase que él mismo no cree lo que acaba de escribir, o que, de acuerdo con la teoría de lo imposible y verosímil de Lausberg, el autor nos quisiera hacer ver que, lo que parece inverosímil, no repugna a la verosimilitud.[1]

Este pequeño e insignificante episodio, con la confesión ruborosa al final, en forma casi autoapologética, resulta la prueba más patente de la singularidad de esta obra. Con esto en la memoria, y conociendo la aversión que Martorell siente por lo fantástico, empezaremos a examinar la obra que, en expresión castiza, "hizo mondar de risa" a Cervantes, y cuya influencia en éste no ha sido hasta ahora completamente evalorada.

1. *La toponimia y la onomástica*

Las aventuras de nuestro héroe empiezan en "la fértil,

Cf. la página 32 de este estudio.

rica e deleitosa illa d'Anglaterra" (I, 118, cap. II). Es decir, en un lugar bien concreto y conocido; no en la vaga "pequeña Bretaña" del *Amadís*, en que reina un monarca, pocos años después de la pasión de Jesucristo, llamado Garinter, y de otro camarada en Escocia llamado el Rey Languines.[1] Martorell, por otra parte, conoce bien el sitio de que habla por sus estancias en Inglaterra.[2] Los nombres, tanto toponímicos como onomásticos, son reales, mezclados de tanto en tanto con la ficción, que se acentúa en los episodios de Constantinopla. Al decir reales, nos referimos a nombres históricos que el autor aplica a sus personajes para incrementar la verosimilitud de la narración. En ningún modo se puede afirmar que cada nombre oculte, asimismo, un personaje histórico. Como afirma Montoliu, en *Tirant* se hallan "noms rigurosament històrics al costat de moltíssims de la propia invenció

[1] En el año 81-82, Agrícola establece campamentos romanos entre Clyde y Forth. El 84 registra otra batalla furiosa cerca del lago Tay; dos siglos más tarde, se levanta la muralla Hadriana entre Tyne y Solway, y, hacia el siglo IV de la era cristiana, ya estaban los Pictos y Caledonios empujando a los romanos de su muralla (consúltese la *Encyclopedia Britannica*, ed. 11.ª, s. v. "Scotland"). El contraste de toponimia y onomástica entre ambos libros de caballerías no puede ser más dispar.
[2] Sobre la vida de Martorell, consúltense las siguientes obras: Riquer, "Joanot Martorell i el 'Tirant lo Blanc'," prólogo a su ed.; Riquer, *Història*, II, 632-646; P. A. Ivars, "Estatge de Juanot Martorell en Londres," *Anales del Centro de Cultura Valenciana*, 2 (1929), 54-62; Joseph A. Vaeth, *Tirant lo Blanch; A Study of its Authorship, Principal Sources and Historical Setting* (New York: AMS Print, 1966); Nicolau d'Olwer, "*Tirant lo Blanc:* examen de algunas cuestiones," *NRFH*, 15 (1961), 131-154; S. Gili Gaya, "Notas sobre Johanot Martorell," *RFH*, 24 (1937), 204-208; Robert B. Tate, "Joanot Martorell in England," *Estudis Romànics*, 10 (1962), 277-281, y otras.

de Martorell. Pero encara entre els primers, se'ns parla d'imaginaris reis de França i Anglaterra, de Sicília i l'imperi bizantí, del Gran Soldà d'Egipte i del Gran Mestre de L'Ordre de Sant Joan. L'arbitrarietat en els noms dels personatges va creixent en els episodis centrals, sobretot en les aventures de Tirant que tenen per teatre l'imperi bizantí" (*Poesia i novel.lística*, p. 91).

Siguiendo una lógica sana, se deduce que al fijarse los críticos en los nombres inverosímiles del *Tirant* cobran más relieve aquellos que son verosímiles. Se pone más de manifiesto el realismo al hablar de su excepción. No se puede hablar, en modo alguno, de inverosimilitud en los libros de caballerías, por la sencilla razón de que todo es fantástico, exótico. De suerte que, las excepciones del *Tirant* no hacen sino confirmar su línea realista.

La toponimia

Siguiendo la toponimia de los noventa y siete primeros capítulos del *Tirant,* que constituye la parte inglesa, nos hallamos con que el autor tenía que conocer bien Inglaterra, a juzgar por la precisión con que describe los lugares; llamándolos por sus nombres reales e históricos, las distancias aproximadas entre ellos y los accidentes geográficos. De ahí que toda la acción se desarrolle en terreno conocido. La obra comienza situándonos en Inglaterra, y no en un país exótico jamás oído. A continuación se menciona a Antona (adaptación de Hampton o Southampton), puerto marítimo, donde desembarca el Rey moro, lo que obliga al Rey de Inglaterra a retirarse a Canterbury;

no obstante, siempre perseguido por la hueste enemiga, tiene que refugiarse en Londres, el cual abandona cuando los enemigos se están adueñando del puente. Conviene fijarnos, en este punto, que hablar de Londres y de puentes es lo más lógico por causa del Thames. El peregrinaje del Rey lo conduce hacia el país de Gales (Wales) y se detiene en Warwick. Aquí menciona el autor un río que, al no poder cruzarlo los moros, les obliga a ir por el llano. Seguramente se refiere al Upper Avon, o el río de Shakespeare, por hallarse Stratford unas cuantas millas hacia el sur de Warwick en el mismo río. Añade que este río acaba en las montañas de Wales, lo cual, sin ser completamente cierto, no es del todo disparatado por cuanto el Avon, que desemboca en el Severn en Tewskery, sigue una dirección sur-oeste, hacia la bahía de Cardiff, en Wales.

Aquí empiezan los fracasos del Rey moro, pues el conde ermitaño de Varoich (Warwick) empieza a usar las estrategemas militares que llenarán todo el resto del *Tirant*, y, derrotado, tiene que refugiarse en el castillo de Alimburg (Killingworth or Kenilworth), antes conquistado, y que está situado a unas pocas millas al norte de Warwick y Leamington.

Nos hallamos en nuestro estudio toponímico a la altura del capítulo XII. De ahora en adelante, tendremos que ser más sucintos, dada la extensión de la obra, y fijarnos solamente en nuevos detalles que se juzguen importantes. Hay que esclarecer que la toponimia se va repitiendo constantemente, dando más peso a la evidencia de la narración.

Tirant, después de saludar al Rey, se decide ir a visitar a la Infanta que está en Canterbury, "a dos jornades" de Londres (I, 186, cap. XXXIX). Sigue aún la precisión geográfica; efectivamente, la distancia de Canterbury a Londres no podía ser de más de dos jornadas ecuestres.

Las nupcias del Rey de Inglaterra con la Infanta francesa se celebran cerca de Greenwich, "en una gran praderia molt arborada que hi ha, per on passa un gran riu" (I, 199, cap. LIII). El río no puede ser otro que el Thames. Se añade, con precisión geográfica, que Greenwich está a tres millas de Londres (I, 191, cap. XLI).

Al abandonar Inglaterra, las aventuras de Tirant suceden en tierras mucho más conocidas y familiares al público contemporáneo de la obra. Sin embargo, ahora que la toponimia es más conocida, se introducen un montón de nombres onomásticos ficticios, que sin ser muchos, resultan un tanto inverosímiles y contrastan con el conocimiento geográfico más exacto del norte de Africa y los Balcanes.

La trayectoria toponímica del *Tirant:* Nantes, Lisboa, Cabo de San Vicente, Gibraltar, Túnez, Sicilia-Palermo. De ahí a Rodas, vuelta a Sicilia, al imperio Bizantino, y al Norte de Africa. Ciudades y sitios que se mencionan por orden de aparición: Túnez, Sicilia, Famagusta, Damasco, Cairo, Reggio Calabria, Sabona, Córcega, Trípoli, Siria, Chipre, Turquía, Málaga, Orán, Tremicén, Ceuta, Alcácer, Tánger, Cádiz, Tarifa, Cartagena, Ibiza, Mallorca, Marsella, Aulida, Toscana, Lombardía, Candía, Río Trasimeno, Capadocia, Armenia, Calabria, Melfi, Caserta, Fundi, Aquino, Pisa, Rabat (y todo el norte de Africa), Valencia, Orihuela, Lérida.

Siguiendo tanto las travesías marítimas, como las jornadas terrestres de este caballero errante, nos hallamos con que todo sucede en terreno conocido, y que toda la toponimia encaja dentro de una geografía y una localización exactas.

Al llegar a este punto, nos vamos a remitir al estudio toponímico de esta parte del *Tirant* de Constantin Marinescu,[1] cuya opinión es compartida también por Nicolau d'Olwer (*"T. lo B.:* examen," pp. 196-197). Afirma Marinescu que el conocimiento "du théatre principal ou se déroulerent les aventures guerrières et les expériences sentimentales de son héros —...l'Empire byzantin— sont loin d'etre imprécises" ("Du nouveau, p. 183).

La descripción de Constantinopla es admirable:

> E deveu saber que la ciutat de Constantinoble és molt bellíssima ciutat e molt ben murada, e és feta a tres angles; e ha-hi un braç de mar qui es nomena lo Braç de Sant Jordi, e aquell braç de mar clou les dues parts de la ciutat, e l'una part resta inclosa, e l'una part closa és devers la mar, e l'altra és devers la Turquia; e l'altra, qui no és closa, és devers lo realme de Tràcia. (II, 460, cap. CDXVIII)

[1] "Du nouveau sur *Tirant lo BLanch*," *Estudis Romànics,* 4 (1953-54), 137-200.

Solamente echando un vistazo a un mapa medieval, italiano o catalán, se puede uno dar cuenta de la precisión cartográfica de esta descripción. Dice que Pera está a tres millas de Constantinopla (I, 402, cap. CXXVI), y menciona el puente de Pera (II, 420, cap. CCCXCVI). Habla constantemente de Santa Sofía. Cada victoria de Tirant sobre sus enemigos es celebra-. da en Santa Sofía (I, 465, 568; II, 181, etc.). Allí son expuestos los cuerpos del Emperador, Carmesina y Tirant (II, 571, cap. CDXXXIX).

No cre Marinescu que la escena en que el embajador del Papa reprocha al Emperador bizantino que hubiese permitido el ultraje de que los turcos hiciesen "estables per als cavalls de la major església de la ciutat" (I, 175, cap. XXXIII), se deba a la ficción de Martorell, sino a un hecho real: la entrada del sultán y sus soldados en Santa Sofía, después de la caída de Constantinopla el 2 de mayo de 1453. Los sucesos que precedieron y los consiguientes a la caída de Constantinopla eran bien conocidos en el mundo cristiano. No obstante, opina Marinescu que Martorell se pudo haber enterado "viva voce" a través de un compatriota suyo, un valenciano súbdito de Alfonso el Magnánimo, que fue testigo ocular de los acontecimientos (cf. "Du nouveau," p. 185).

Martorell menciona el "Canal de Romania" (II, 450, cap. CDXIV), es decir, el estrecho de los Dardanelos, al que más tarde llama "lo Braç de Sant Jordi" (Ibid.), nombre que también aplica al Bósforo (II, 509, cap. CDXLVIII). Gigeo, el antiguo puerto de Troya, a más de cien millas de Constantinopla, en el Canal de Romania o Braç de Sant Jordi, aparece ya en una crónica del siglo XIII, bajo el topónimo "La Gige, o Guige" (Marinescu, "Du nouveau," p. 185).

El condado de Sant Angel, mencionado en varios lugares (I, 552, 555; II, 68, 71, etc.), que el Emperador quiso entregar a Tirant, pero, a ruegos de éste, fue cedido a Diafebus, seguramente está relacionado con la localidad de "Sancto Angiolo," situado en el Bósforo y registrado en los mapas medievales a unas siete millas de Constantinopla, hoy Roumili Hissar (cf. Marinescu, "Du nouveau," p. 186).

En el capítulo CDXXIII, habla Martorell de un "Castell de Sinopoli, qui distava de la ciutat de Constantinoble cinquanta milles devers lo mar Major, anant per lo Braç de Sant Jordi" (II, 469); asimismo, en el capítulo CDLVI, menciona la bellísima ciudad de Sinopoli, y más adelante un duque de Sinopoli (II, 524). Halla, Marinescu, las formas de "Sinopoli" y "Sinopolli" en los mapas medievales italianos, y que el catalán Mecià de Viladestes anota "Sinopoli" (1413) en su mapa. Se trata de la actual Sinope, en la costa meridional del Mar Negro.

W. J. Entwistle[1] ha identificado las ciudades de Estrenes y Estranges (II, 524, 529) con la actual "Istrança," y Marinescu cree que es posible que la tierra de "Bendín" (II, 543) sea Vidin de Bosnia, en la costa Albanesa de Voioussa, donde también se hallaría Valona, en la cual se congrega la escuadra de Tirant antes de tomar rumbo a Constantinopla.

[1] *"Tirant* and the social order," *art. cit.,* p. 151.

Otro nombre geográfico es "Altafulla," que el Emperador quiere dar a Tirant junto con el condado de Sant Angel (I, 553). Este nombre nos hace pensar del señor albanés Simon Altisfieri, un familiar de Scanderbeg (cf. Marinescu, "Du nouveau," p. 186). Otra explicación se halla en la *Crònica* de Muntaner que habla de "Altolloch que daltrament apella la escriptura Epheso";[1] y en otra ocasión menciona Muntaner a "Fuylla" en una expedición contra la cual él toma parte en 1307 (Ibid., Capt. 134, folio 188). Se trata, por lo tanto, de la colonia genovesa de "Foglia," en el golfo de Esmirna, donde se encontraban las célebres minas de aluminio; de ahí que el Emperador añada que Altafulla es valiosa "la qual, entre tot, es de renda arrendada setanta-cinc milia ducats" (*Tirant*, I, 552, cap. CLXI). Ahora bien, la denominación italiana "Foglia" equivale a la griega *Phocée*.[2] El enclave genovés constaba de "Foglia Nueva" y "Foglia Vecchia"; la hipótesis de Marinescu es si una de ellas no sería llamada "Alta Foglia" (cf. "Du nouveau," p. 187). Para reforzar esta hipótesis, nos conviene recordar el odio catalán contra los genoveses, lo cual explica la expedición contra "Altolloch" de que habla Muntaner. En el capítulo CDLXV, Martorell identifica Salónica con Gallipoli, habla asimismo de Valona y de "l'Arca, lo cap de l'Arca," que corresponde a la villa de Arta y a la región antes citada de Voioussa (Ibid.). Esto prueba el conocimiento preciso de Martorell de la que hoy se llama Península Balcánica.

[1] Ramon Muntaner, *Crònica* (Barcelona: Jaume Cortey, 1562), Cpt. 207, folio 167.
[2] Según transcripción francesa de Marinescu, en el citado artículo "Du nouveau," p. 186.

La mención del Albanés (II, 274, 275, 277) en sus aventuras africanas, más el conocimiento de la Península Balcánica y la constante mención del puerto de Valona (II, 450 y sigs.), inducen a Marinescu a atribuirlo a la influencia catalana en Albania y los Balcanes en tiempos del Magnánimo, que es cuando Martorell escribe.

El almirante de Tirant se apodera de bastantes islas griegas ocupadas por los moros, y se mencionan a: "Calistres, Colcos, Orítige, Tesbrie, Nimocha, Flaxon, Meclotapace" (II, 543). Tratando de identificar estas islas, se reconoce la villa de Karystos (Calistres), en la isla de Eubea, conquistada por los catalanes en 1317 y ocupada hasta 1365.[1] Bajo Colcos, se oculta la vieja Colchide, el país de Vellocino de Oro, a los pies del Cáucaso, y mencionado por Engeran de Monstrelet, contemporáneo de Martorell (cf. Marinescu, "Du nouveau," p. 188). Orítige se puede referir al golfo Oretexi, hoy Eriné, en el litoral meridional del Asia Menor. En cuanto al resto, aún no identificado, se supone lógicamente que se refería a lugares reales cuya toponimia ha cambiado.

Entrando en Asia, hallamos una ciudad de Tauris (II, 443), en Persia, identificada con Tabriz, ahora un mercado floreciente, y que aparece en el atlas catalán bajo "Tauris." Otra ciudad persa que se menciona dentro del reino de Etiopía es "Seras," identificada también por el atlas catalán bajo "Ssiras," hoy Chiraz (cf. Marinescu, "Du nouveau," pp. 188-189).

---

[1] Cf. Chaytor, *A History of Aragon and Catalonia, op. cit.,* p. 156.

En cuanto al resto de los estados y ciudades norteafricanas mencionados por Martorell y por Galba, no representan ningún problema, por la estrecha relación comercial y de todas clases que existía entre éstos y la mediterránea Valencia. Conviene, sin embargo, destacar que existía un reino de Tlemcé (Tremicen) que fue anexionado a Marruecos en 1384 y en el que había un contingente de renegados catalanes, entre los cuales destaca la figura del visir catalán Hilal (cf. Riquer, *Història*, II, 694). Otra figura que representa esta estrecha relación norteafricana con los países catalanes es Anselm Turmeda, Abdal.lá, el santo musulmán y renegado catalán, bien conocido del rey Alfonso el Magnánimo (Ibid., II, 265-304). Durante los siglos XIII y XIV, el reino de Bujía estaba separado del de Túnez, mientras el reino de Fez es indudablemente Marruecos.

Onomástica

La misma verosimilitud y, hasta cierto punto, precisión que hemos hallado en la toponimia encontramos, asimismo, en la onomástica.

Martorell tenía que conocer muy bien la nobleza inglesa de su tiempo, como se deduce de la distribución que hace de títulos nobiliarios: Warwick, Lancaster, Gloucester, Exeter y Bedford (I, 141, cap. XV). Estos son condados, no obstante, en el libro, hablando de sus señores, el autor los transforma en duques, a excepción de Northumberland y Warwick, este último porque está siguiendo la obra anterior inglesa *Guy of Warwick*, que él tradujo en su juventud (cf. Riquer, *Història*, II, 652). Hemos examinado algunas de estas casas señoriales, y he aquí que en 1445, John of Holland, conde de Huntingdon, es nombrado duque de Exeter (un condado) y que Henry of Gant se transforma en primer duque de Lancaster (anteriormente condes), seguido de John of Gant (jefe de la monarquía de los Lancasters). Bedford, otro condado, es regido por Jasper Tudor, hermanastro de Enrique VI, y convertido en duque de Bedford. Bastaba al autor para dar verosimilitud a su obra, que, en vez de nombrar como duques a estos nobles, les hubiese nombrado por su título hereditario de condes; sin embargo, la verosimilitud se transforma en exactitud por la simple razón de que cuando Martorell visita Inglaterra, además del título hereditario, habían adquirido otro de gracia: el de duques. Incluso Warwick, otro condado, tenía duque en 1445: Henry, catorceavo conde de Warwick, descendiente de Edmund, duque de York. No obstante, más adelante se nombra al conde de Nortumberland, que, efectivamente, no tenía otro título nobiliario, y que se llamaba Henry Percy, segundo conde de Northumberland,[1] nieto del primero, que rigió el condado desde 1397 a 1455.

Algo que nos choca en esta parte del *Tirant,* es la presencia de moros en Inglaterra. La explicación que nos ofrece Riquer (*Història,* II, 657) es que, en la vieja epopeya romana, no hispana, todo pueblo pagano era tratado de moro; los normando y sajones serán, por lo tanto, moros, y el ejemplo más concreto está en la vieja canción de gesta francesa, *Gormont et Isembart.*

[1] Cf. *Encyclopedia Britannica,* bajo las voces propias de estos condados, y, además, E. F. Jacob, *Fifteenth Century 1399-1485* (Oxford: Clarendon Press, 1969). El artículo en la *Encyclopedia Britannica* está escrito por Charles L. Kingsford, una autoridad en historia inglesa (11.ª ed., Cambridge, 1911).

El segundo, vasallo caído en desgracia del Rey de Francia, huye a Inglaterra donde se pone al servicio del Rey sarraceno Gormont. Siguiendo esta tradición, Godofredo de Monmouth, en su *Historia Regum Britanniae* (hacia 1135), explica que en el siglo VI las islas Británicas fueron invadidas por "Gormundus, rex africanorum." De la misma forma, Martorell transforma a los daneses del viejo poema primitivo *Guy of Warwick* en moros, bajo el mando de los reyes de Tánger y de Gibraltar, en el *Guillem de Varoich,* y por el rey de la Gran Canaria en el *Tirant.* El nombre Cala ben Cala parece ser sugerido, en opinión de Riquer, por el del caudillo moro Çalla bem Çalla, que figura en la *Cronica da Tomada da Ceuta* y en la *Cronica do Conde don Pedro de Meneses,* de Gomes Eanes de Zurara.

Acabadas las brillantes fiestas nupciales del Rey inglés, vuelve Tirant al ermitaño y le explica todo lo sucedido. En esta narración, nos enteramos de más detalles. Se menciona al Rey, sin nombrarlo, pero, en la última carta de batalla, que Martorell dirige a Joan de Monpalau, su primo, le hace saber que encontró juez en "lo molt alt e poderós senyor, lo rei d'Anglaterra e de França" (Riquer, *Història,* II, 658). En el *Tirant* el Rey se casa con una Infanta de Francia, y tiene un tío que es duque de Lancaster. Prescindiendo del hecho de que Martorell estuvo en Inglaterra durante el reinado de Enrique VI de Lancaster, estos dos detalles solamente, apuntarían al mismo monarca que, efectivamente, casó con Margarita de Anjou (según Riquer, en Tours, 1444; en el *Tirant,* en un prado cerca de Greenvich) el 21 de abril de 1445, en

Titchfield, [1] y que tenía otro tío, Humphrey, duque de Lancaster. Más aún, el mismo Rey del *Guillem de Varoich,* continúa en el *Tirant.* Ahora bien, el catorce conde de Warwick, Henry, era llamado en Inglaterra "the king maker" y fue un ardiente defensor de la autoridad de Enrique VI (Ibid., p. 561). De suerte que la ficción del *Varoich* podría estar, en cierta forma, influenciada por la fama de los Warwicks contemporáneos a Martorell, produciendo la simbiosis ya conocida en las obras caballerescas: ficción-realidad, realidad-ficción.

Por las páginas de esta parte inglesa del *Tirant,* desfilan todas las casas nobles de Europa, unas estrechamente vinculadas a la corte francesa y otras a la inglesa, lo cual es de esperar en la ocasión solemne del matrimonio de la Infanta francesa con un Rey inglés. Se menciona a los duques de Berri y de Orleans, emparentados a la monarquía francesa. Aparece Agnes, hija del duque Berri; en el *Curial* hay otra hija de un duque de Berri, monja, y Violant del Bar, esposa de Joan I de Aragón, era, asimismo, sobrina de un duque de Berri. [2] El duque de Clarence es otro título nobiliario de los condes de Gloucester. Se menciona al Príncipe de Wales. A la caída de Enrique VI, y tras el corto preludio de Ricardo III, empieza otra dinastía, la de los Tudor, con Enrique VII, y el principado de Wales pasa directamente a la familia real inglesa.

Otras familias: la condal de Flandes (I, 192, cap.

---

[1] Cf. Jacob, *Fifteenth Century,* p. 495.
[2] Cf. Riquer, *Historia,* II, en el capítulo dedicado a Bernat Metge, pp. 358 y sigs.

XLIII), la ducal de Borgoña (I, 204, cap. LVI), de Cleves (Ibid.), de Milán (I, 256, cap. LXXIII), de Bavaria (I, 234, cap. LXVIII), de Acquaviva (I, 204, cap. LVI). Esta última, de la corte de Nápoles; es posible que el presente duque fuese Giulio Antonio.

Antes de abandonar la corte inglesa para pasar a Rodas y el Oriente, es conveniente examinar someramente varios puntos más.

Al partir hacia Londres, Tirant pregunta al ermitaño sobre los mejores caballeros del mundo, a lo cual responde el ermitaño, señalando que, entre los de nuestro tiempo, se cuentan "lo bon cavaller Muntanyanegra, qui ha fet molt bones cavalleries," es decir, Jorge Castriota Scanberg, famoso caudillo albanés; el duque de Exeter, muerto en 1447, mariscal y almirante inglés, y Joan Stuart, conde de Evreux, que murió en 1429. [1]

Otro personaje que llama la atención es Jerusalén, rey de armas (I, 219, cap. LXIII). Este mismo nombre lo encuentra Riquer (*Història,* II, 656) en la correspondencia caballeresca entre Luis Cornell y Nicolau de Proxita, intercambiada entre febrero y mayo de 1447; las que se envían Joan Antoni Caldora e Iñigo de Guerra, marqués de Vasto (personaje también del *Tirant* que muere luchando contra los turcos, en el cap. CLIX, vol. I, 497), en febrero y en marzo de 1455 y, entre Francisco Berenguer de Blanes y Luis Crespí de Valldaura, en abril de 1462; las dos primeras

---

[1] William J. Entwistle, "Observacions sobre la dedicatòria i primera part del *Tirant lo Blanch,*" *Revista de Catalunya,* 7 (1927), 395.

contiendas ocurridas en el reino de Valencia.

Consabida es la enemistad y aversión que existía entre Joanot Martorell y el Comendador de Montalbán, Gonzalo de Hijar, al que ridiculiza, según Riquer (*Historia*, II, 675) y W. J. Entwistle,[1] en la persona de Kirieleison de Montalban.

Los caballeros de la Garrotera forman una lista de nombres entresacados de la realidad y de la ficción. La mayoría son nobles ingleses. De hecho, muchos de ellos pertenecieron a esta orden de caballería. Otros son evidentemente imaginarios: el marqués de Belpuig, el señor de Puigverd, el conde de Marches Negres, el conde de Joiosa Guarda, etc. Entre los históricos ya mencionamos a John Stuart, e históricamente consta que un Warwick fue un caballero inicial de la Garter: Guy de Beauchamp, décimo conde de Warwick. Apunta Riquer (*Història*, II, 667) que el "senyor de l'Escala Rompuda" se podría referir a Felip Boyl, el caballero errante valenciano, llamado de la Escala, o, más probablemente, el aragonés Francisco Suriene, que fue elegido caballero de la Garrotera en 1447 y que luchó contra el inglés John Astley en presencia de Enrique VI, y al que Martorell podía haber conocido en esta corte.

Al abandonar la corte inglesa por las aventuras mediterráneas, fascina especialmente a Marinescu la figura del Rey Escariano, de Etiopía, bautizado por Tirant, y la admiración y respeto que Martorell le muestra, a

---

[1] "*Tirant lo Blanch* and the Social Order of the End of the Fifteenth Century," *Estudis Romànics*, 2 (1949-50), 150-151.

juzgar por las descripciones que de él se hace, así como de su famoso reino (II, 432, 440, 441, 442), cuyas tierras se extienden desde Tremicén hasta Seras y es limítrofe con el Preste Joan. Descubre Marinescu en este Rey de Etiopía al histórico y legendario Preste Juan con el que Alfonso el Magnánimo estableció relaciones. Si se trata de este fabuloso Rey, cuyo nombre resultaba misterioso y legendario, por algunos indicios que vemos en Martorell, tenemos que deducir que el autor tenía más conocimiento sobre este Preste Juan y su reino que lo que generalmente se conocía.

Al mencionar los reyes moros aliados contra Tirant, que forman una lista bastante fantástica, se encuentra entre ellos un Rey de la Tana, y que posiblemente se tratase de un país situado cerca del lago Tana de Etiopía. ¿Cómo es posible que Martorell conociese estos detalles y por qué, entre todos los reyes, este Escariano es el que llega a ser el amigo fiel de Tirant, convirtiéndose incluso al cristianismo?

En 1427, Guillermo Fillastre, cardenal de San Marcos, anotó sobre un mapa de Africa: "... Istius presbyteri Johannis duo ambassiatores, unus cristianus et alter infidelis, hoc anno Domini millessimo quadringe(n)-tessimo vigessimo septimo, quo hae tabulae descriptae fuerunt, venerunt ad regem Aragonum Alfonsum, quos vidit cum rege in Valencia dominus cardinalis Fuxo, legatus. Sedis Apostolicae ad dictum regem..." [1]   La fecha de la entrevista, en este documento, es 1427, en

---

[1] R. Thomassy, "De Guillaume Fillastre, considéré comme géographe; a propos d'un manuscrit de la Géographie de Ptolémée," *Bulletin de la Société de Géographie*, II serie, XVII (1842), 148-149.

Valencia. Al año siguiente, Alfonso envía al Preste
Juan su confesor Felip Fajadell y al valenciano Pere de
Bonia, posiblemente intérprete y relacionado con Joan
de Bonia, que tradujo una obra astronómica del árabe
al latín en el siglo XV. Les ordena Alfonso que se
enteren de la disposición de este Rey, de sus tierras y
sus riquezas, y de su gran tesoro (cf. Marinescu, "Du
nouveau," p. 191).

Estos términos son parecidos a los usados por Martorell para describir a Escariano. Los detalles concretos
en que se fija Marinescu son: 1) en 1427, dos enviados
etiópicos se presentan al Rey soberano de Martorell; 2)
en Valencia, donde vive Martorell, y 3) un valenciano,
Pere de Bonia, es enviado por Alfonso para firmar un
pacto de alianza contra los musulmanes. Entre 1437 y
1453, los contactos y los emisarios entre ambas cortes
son frecuentes. El Preste Juan entra en guerra con el
Sudán, y los embajadores que éste envía al Magnánimo tienen que volver a Etiopía a través de Rodas, el
Medio Oriente y el Golfo Pérsico, bordeando Arabia.

El Gran Turco y el Sultán de Babilonia eran nombres
aplicados indistintamente al Sultán de Egipto, mientras el Gran Caramany no es otro que el Emir de
Kermia, en Anatolia. Otra nota que nos hace adivinar
el conocimiento de la toponimia y la onomástica es el
nombre de "Cabdillo dels Cabdillos," que es el árabe
"bey-ber-bey," o emir de los emires (cf. Riquer,
Història, II, 695-696).

Mencionamos antes, que en la parte mediterránea del
Tirant, al par que se halla repleta de geografía bien
conocida, hay bastantes elementos de ficción. Eviden-

temente, nombres como Bellpuig, Malveí, Sant Jordi, u onomásticos como el nombre mismo del Emperador, su hija Carmesina, Montsalvat —descontamos aquéllos que son evidentemente humorísticos—, tienen muy poco de griego. El nombre de Espercius, según opina Marinescu ("Du nouveau," pp. 187-188), es posible que esté relacionado con Spercheios, un arroyo de agua de Thesalia, en la costa de Thermópilas, hoy Hélada.

Asimismo, Ricomana y un Rey Ricardo (recordemos que al tiempo que Martorell escribe, Sicilia está bajo la corona de Aragón y del Rey Magnánimo), en Sicilia, son evidentemente ficción.

Hay otros que parecerían ficción y no lo son. Riquer (*Història*, II, 683) analiza el nombre de Ciprés de Paternó (*Tirant*, cap. CXLIX), un joven chipriota de Famagusta, capturado por el Sultán y bautizado por Tirant. Pues bien, Paternó es la ciudad siciliana junto a Catania, adquirida en 1456 por los Condes de Adernó, del linaje siciliano de los Moncada, una de cuyas líneas son los Príncipes de Paternó. Es lógico que al joven se le imponga el nombre de Ciprés, lo cual adquiere más verosimilitud por el hecho de que un caballero aragonés, al servicio del Magnánimo, entre 1429-1448, apadrinado por Fernando el Católico, se llamaba Ciprés de Paternó.

Otro aspecto de onomástica histórica estudiado por Marinescu [1] y citado por Riquer, es el de los señores

[1] Marinescu, en una lectura dada a la Reial Acadèmia de Bones Lletres, el 19 de noviembre de 1959, según nos informa Riquer, *Història*, II, 684-685.

italianos que aparecen luchando, unos a favor (I, 421) y otros en contra (I, 454) del Emperador. Naturalmente, los que luchan en contra son los renegados. Pues bien, estos mismos nombres aparecen con frecuencia en la corte del Magnánimo, tanto los unos como los otros. A la muerte de éste, los señores citados se dividen en dos bandos, unos a favor de Fernando, hijo bastardo de Alfonso, y otros a favor de Luis de Anjou, linaje que fue enemigo secular de la casa de Aragón. Los personajes que históricamente favorecieron la casa de Anjou, son los traidores, amigos de los turcos, en la novela de Martorell; es a saber: Juan, duque de Calabria; Giovanni Caracciolo, duque de Melfi; el conde de Monturio, virrey de los Abruzzi; Francisco, conde de Caserta; Conrado Acquaviva, conde de San Valentino; Onorato Gaetani, conde de Fundi, y el Marqués Francisco de Aquino. Entre los partidarios de Fernando, hijo de Alfonso, y, en la novela, a favor del Emperador, se hallan: el conde de Sinópoli, el duque de San Marcos; don Iñigo Dávalos, marqués de Pescara; don Iñigo de Guevara, marqués del Vasto y de Arena; el varón de Prota; el conde de Benafrío; Giovanni Antonio Ursino, conde de Acquaviva, y Giovanni de Ventimiglia. Martorell no ha inventado, por lo tanto, estos personajes, ni los ha puesto en una banda u otra al azar, sino con intencionalidad.

Sería una labor ardua y exhaustiva analizar cada uno de los personajes y sitios que aparecen en una novela tan extensa como es el *Tirant lo Blanc*. El análisis y las opiniones hasta ahora expuestas, son suficientes para darnos una idea de que, efectivamente, el *Tirant* es una novela de caballerías que pisa en tierras conocidas en su mayor parte y cuyos personajes, salvas excepciones, esconden otros históricos, conocidos, bien personalmente, o a través de referencias, por el autor. El personaje central, Tirant, es la encarnación o personificación hipotética de otros tantos personajes históricos, cuyas hazañas son recreadas, mezcladas con ficción, por Martorell.

2. Trasfondo histórico

Puesto que este aspecto del *Tirant* ya ha sido estudiado en detalle, y como sea que no es de primaria importancia aquí, nos remitiremos a consignar sucintamente las hipótesis hasta ahora sostenidas por los más conocidos críticos del *Tirant*.[1]

Martorell describe en los capítulos LVIII al XCVII del *Tirant* la fundación de la Orden de la Garrotera (Garter, Jarrétière), concluyendo las aventuras inglesas de su héroe. Demuestra Martorell un gran interés en esta orden de caballería, cuyas ceremonias y estatutos describe minuciosamente, casi medio siglo antes de que aparecieran en la obra del italiano Polidoro, *Anglicae Historiae* (1504). Es, por lo tanto, la primera noticia que poseemos de esta orden, sobre la cual existen varias hipótesis. Una confirma lo dicho por Martorell sobre su fundación, excepto que el Rey es Eduardo III y la famosa dama es la condesa de

[1] Véanse las obras de: Entwistle, *"Tirant lo Blanch* and the Social Order," *op. cit.*; Gili Gaya, "Noves recerques sobre *Tirant lo Blanc," ER*, I (1947-48), 135-147; Nicolau d'Olwer, *"T. lo B.:* examen," *op. cit.;* Riquer, *Història;* Marinescu, "Du nouveau," *op. cit.;* J. Givanel, "Estudio crítico de la novela caballeresca *Tirant lo Blanch," AIH*, I (1911), 213-248, 319-348; II (1912), 392-445, 477-513; Vaeth, *Tirant lo Blanch. A Study, op. cit.*

Salisbury (1350); otra es que se fundó después de la batalla de Crecy. El hecho es que Martorell está historiando al hablar de la Orden de la Garter. [1]

El sitio de Rodas novelado por Martorell, por las fuerzas del Sultán de Egipto Abusaid Djakmak y defendido por el gran Maestre de la Orden Joan de Lastic, ocurrió en 1444. Abundaban en Rodas los catalanes y valencianos, uno de los cuales, Antoni de Fluvia, fue gran Maestre en 1437. Tanto en la novela de Martorell como en la historia, los genoveses, enemigos del Magnánimo y del reino catalano-aragonés, acusaban a los caballeros de la Orden de favoritismo hacia Alfonso. Estos eran hechos bien conocidos en Valencia donde, según sabemos por la correspondencia de Gonzalvo de Hijar, se hallaba Martorell en 1444. Este podía haber conocido los detalles del asedio por el poema de Francesc Ferrer, o, con más probabilidad, por Jacme de Vilaragut, [2] amigo de Martorell, corsario valenciano que participó, a principios de 1444, en la captura del navío genovés Doria, que iba cargado de provisiones, desde El Cairo, para el Gran Sultán, y que participó en la lucha contra el Sultán, al lado de los sanjuanistas. Hecho prisionero por el gran Emir de Kermia, se escapó poco después y volvió a Rodas en 1446, para acabar en Valencia en 1447 donde, seguramente, siendo amigos, contaría sus aventuras a Martorell.

Las hazañas del héroe de Martorell pueden tener como

---

[1] Cf. *La Grand Encyclopédie* (Paris, s. a.), s. v. "Jarretiere"; Riquer, *Història,* II, 663-665.
[2] Cf. d'Olwer, "*T. lo B.:* examen," p. 139, nota al pie.

base, según investigaciones de Marinescu (cf. "Du nouveau," pp. 148-164), otros hechos también extraordinarios e históricos: los de Geoffroy de Thoisy, caballero borgoñón. Tanta es la semejanza de pormenores entre las hazañas de Tirant y las del histórico Geoffroy de Thoisy, que resulta imposible no llegar a la conclusión de que Martorell conocía este personaje, bien por las narraciones borgoñonas contemporáneas de sus hazañas, o personalmente en la corte del Magnánimo que aquél frecuentaba. En 1454 se celebra en Lille la famosa ceremonia caballeresca de los Votos del Faisán, y el voto de Geoffroy dice:

> Je veuu que je seray a mon pouvoir des premiers pour aler... et des derreniers qui abandonneron... [1]

En el *Tirant* el voto que éste hace en el capítulo XVIII es del tenor siguiente:

> ...fac mon vot... de jo ésser hui lo primer qui eixirà en terra e lo derrer qui es recollirà...

Parece ser, indudablemente, que Martorell atribuyó a su héroe las hazañas históricas de Rodas de Geoffroy de Thoisy. Más aún, esta influencia de Geoffroy, según Marinescu ("Du nouveau," pp. 156-164), no acaba en Rodas sino que se reflejada en las aventuras marineras de Walerand de Wavrin y de Thoisy, en el Mediterráneo, en el Bósforo, los Dardanelos y el Mar Negro, donde prestaron auxilio al Emperador de Bizancio contra los moros, los turcos y los genoveses. El paralelismo entre los hechos marineros de los borgoñones y

---

[1] Citado por Marinescu, "Du nouveau," p. 160

los novelados del *Tirant* reflejan una semejanza admirable.

Los personajes históricos que moldearon la parte bizantina del héroe de Martorell son dos: Roger de Flor y Juan Hunyadi, Vaivoda de Hungría, este último también estudiado por Marinescu.

Anterior al documentadísimo estudio de este crítico, no se conocía otra influencia y base histórica en las aventuras bizantinas del *Tirant*, que la crónica de Muntaner y los hechos de Roger de Flor, cuyo paralelismo mencionaremos más adelante. Sin embargo, el estudio de Marinescu ha revelado otra fuente. El nombre de Blanch concuerda con el que la cristiandad aplicaba a Juan Hunyadi: le Blanc, Bla, Bianco, etc. Todos ellos, una acomodación de Vlacus o Valacus. Era éste el más formidable enemigo y vecino que tenían los turcos, a los que derrotó dos veces. Una en 1448, en aguas del Danubio, que libró de la inminente amenaza a Constantinopla, y las islas del archipiélago, y otra, al mando de una coalición cristiana, en 1456, frente a las murallas de Belgrado. Victoria que hizo resollar a la cristiandad. Su nombre llenó las crónicas de su tiempo y la fama le transformó en conde y rey en las crónicas catalanas. Corriendo un paralelo de hazañas y victorias, grandes y pequeñas (incluyendo la divisa de ambos: un cuervo), de éste y las de Tirant de Martorell, se llega a la conclusión de que la base histórica más genuina y evidente de Tirant es la figura de Hunyadi, el caballero Blanco.

Naturalmente, al llegar a este punto, Marinescu se

aparta bastante de los otros críticos, [1]   que, sin negar
la influencia de Hunyadi, afirman que el paralelismo
biográfico de Tirant y Roger de Flor es mucho más
patente y obvio: 1) Roger de Flo: parte de Sicilia para
ponerse al servicio del Emperador, acosado por los
turcos: lo mismo hace Tirant; 2) el Rey de Sicilia pone
a disposición de Roger diez galeras y dos leños,
dispuestos y aparejados. Este mismo Rey presta a
Tirant once galeras bien provistas; 3) el Emperador y
la gente reciben con alegría a Roger, contrastada con
la envidia y hostilidad de los genoveses y altos dignata-
rios: lo mismo sucede con Tirant; 4) Roger es investido
Megaduc (capitán general) del Imperio y se le da el
bastón: en *Tirant* sucede lo mismo; 5) Roger es
ascendido de Megaduc a César, dignidad vacante por
cuatro siglos, y el cargo pasa a Berenguer de Entença:
esto le sucede a Tirant, cuyo anterior cargo pasa a
Diafebus, y después a Hipólito; 6) Roger casa con una
sobrina de Andrónico, hija del Emperador de los búl-
garos: Tirant con Carmesina, hija y heredera del Imperio Griego; 7) Ferran de Ahonés, nombrado Almirante por Roger, casa con una Princesa bizantina: el
Marqués de Liçana, Almirante de Tirant, con una
parienta del Emperador; 8) Sor Miqueli, hijo de
Andrónico y asociado al trono, es hostil a Roger, que
triunfó en el Artaqui, donde él había fracasado: el
duque de Macedonia, "lo major duc de tota la
Grècia," es hostil a Tirant por haber triunfado sobre
los turcos que antes le derrotaron a él; 9) traición de
Sor Miqueli, que hace asesinar a Roger en un banque-
te: traición del duque de Macedonia que hiere a

[1]   Nos referimos más en conreto a Nicolau d'Olwer; cf. su "*T. lo
B.:* examen," *op. cit.,* pp. 139-142.

Tirant en plena batalla; 10) Roger muere en Andrinó-
polis y en la misma ciudad cae mortalmente enfermo
Tirant.

Ninguno de estos puntos corren paralelos entre Hunyadi y Tirant. La actividad de Hunyadi se desarrolla en
la periferia y nunca en el centro del imperio griego o
su capital. Hay que llegar, por lo tanto, a la conclusión
de que el personaje que informa la biografía general
de Tirant en el imperio bizantino es obviamente Roger
de Flor, y que la *Crònica* de Muntaner, un valenciano,
y los hechos de los almogávares, vivos en las mentes
catalanas, fueron la fuente primaria de Martorell.
Conviene añadir el odio contra los genoveses que se
respira en todo el libro, algo real, existente entre las
casas de Aragón y Génova.

No podemos sin embargo aminorar las coincidencias
contundentes que Marinescu ha estudiado, y así tendremos que aceptar, con d'Olwer, que:

> ...la figura novelesca de Tirant se inspira en la
> tradición histórica de Roger de Flor, y se enriquece y
> actualiza con rasgos personales —el nombre y las
> armas— del más reciente debelador de los turcos,
> cuya victoria de 1456 echó al vuelo las campanas de
> toda la cristiandad. ("*T. lo B.*: examen," p. 141)

No olvidemos, asimismo, el trasfondo histórico que
existe en el Preste Juan y el Rey Escariano de nuestro
libro, ni la posible influencia que haya podido haber
entre el contingente de renegados cristianos en Marruecos y el visir Hilal, catalán, y las aventuras de
Tirant en Africa.

Obviamente, un estudio histórico, topográfico u onomástico, no es forzosamente un estudio sobre una cuestión de creación literaria, tal como es el realismo. Sin embargo, siendo éste una imitación de la realidad, ha convenido examinar este factor que, evidentemente, prestará una base sobre la que se puede crear un realismo más convincente. Hemos visto, por lo tanto, que, previo a la expresión realista, existe, en el *Tirant*, "lo posible": la base histórica, geográfica y onomástica; si al lado de esta base, nos hallamos con la verosimilitud de lenguaje y situaciones, tendremos el tipo de realismo que es preferible al dilema de Aristóteles antes apuntado; es decir, lo posible y verosímil, el realismo de una "novela moderna."

3. El realismo de la forma. [1]

[1] Dos autores, que nos han llamado la atención por su similitud de opiniones, son J. L. Alborg y Felicidad Buendía, los cuales han llegado a las mismas conclusiones, en cuanto a la forma y el fondo de *Tirant lo Blanc*. Dice Alborg (*Historia de la literatura española* Madrid: Gredos, 1970 , I, 472-473): "La novela, que amontona, en efecto, peripecias innumerables en un relato que iguala la extensión del *Amadís*, parece ideada por un espíritu científico, que necesita darle al lector —y dársela a sí mismo— exacta cuenta de cada detalle, buscando siempre la mayor racionalidad y rechazando lo prodigioso. Pero más todavía que en esto, el realismo de *Tirant* descansa en una nueva técnica del narrar, en una naturalidad que encuentra como sin esfuerzo los detalles, actitudes, palabras de la vida diaria, con unos medios de expresión propios de un arte distinto, sin nada semejante en la Edad Media, de una simplicidad y verismo naturalista que queda muy cerca de la novela moderna." Es la misma opinión a que llega Dámaso Alonso en su estudio ya citado. A esto añade Alborg (I, 473) que tiene mucho que ver "el alma de la lengua valenciana en que escribe Martorell, tan apropiada, tan insustituible para la ironía guasona, para el

Lo expuesto hasta ahora, esencial en toda conjetura razonada, no han sido más que las premisas introductorias a nuestro estudio: el realismo de *Tirant lo Blanc.*

Cualquier lector de este libro notará en seguida que una parte, una veta literaria, es pesada, lentísima. Es lo "típico" medieval: largos parlamentos, ajustados a todas las reglas de la elocuencia suasoria, en sus formas de arrastrado diálogo, monólogo o carta. Es, según Dámaso Alonso, "la misma desesperante paralización de la novela sentimental entregada a sus interminables análisis de psicología amorosa." [1] In-

descaro, para la burla gráfica, para expresar el pormenor vulgar y cotidiano, sin tufo alguno de parla culta o saber libresco... Cuando la novela se produce, la lengua valenciano-catalana parece estar sobre un promontorio de posibilidades, que nada debe envidiar al castellano."

A esta opinión, se añade la no menos contundente de F. Buendía ("Nota preliminar" a la trad. de *Tirante el Blanco,* en *Libros de caballerías,* ed. y notas de F. Buendía Madrid: Aguilar, 1954 , p. 1055), hablando de las características del *Tirant,* las cuales son: "La verosimilitud de la gesta caballeresca, al lado de la normalidad cotidiana y vulgar en que se desvuelven gran parte de las andanzas del hidalgo manchego, y la alegre ironía de Martorell, al lado del sarcasmo desengañado de Cervantes... En la novela de Martorell hay un fondo ambiental que descansa en la realidad de la época y de la Corona de Aragón... Es de notar que el autor muestra un deseo de parecer verosímil, apartándose del elemento maravilloso y sobrenatural... Tirante es un héroe medido humanamente."

[1] Dámaso Alonso, "*Tirant lo Blanch:* novela moderna," pp. 192-193. Artículos y libros que nos van a servir de guía en esta parte importante de nuestro estudio: M. Vargas Llosa, "Carta de batalla por Tirant lo Blanch," *Revista de Occidente,* 70 (1969), 13-21, en cuanto nos interesa la opinión de un novelista de nuestros días; y F. de B. Moll, "Els refranys del *Tirant lo Blanch,*" *Botlletí del Diccionari de la Llengua Catalana,* 15 (1933), 69-177.

cluso las disquisiciones escolástico-bizantinas están presentes, aunque las excusan el hecho de suceder en la corte bizantina, y no en ninguna otra parte de la obra. Pero, y ésta es la otra cara del *Tirant*, este hastío convive con diálogos rápidos, naturalísimos, espontáneos, con un recorte neto de las acciones, intuitivamente presentadas al lector.

Hoy día nos inclinamos a soportar lo tostón por lo que de vital, sensual, libre y moderno contiene esta obra, cuya única faceta intrigante no es saber que existen estos dos planos, sino el describir cómo se las apañó Martorell para hacerlos convivir. Cómo se las arregló el autor para dar un salto olímpico en el tiempo que lo planta de lleno en nuestros días y lo hace un contemporáneo, al que, se le ven los zurcidos y las hebras del pasado. Y es sobre el análisis de estos factores que podremos basar un juicio acerca de la modernidad, el realismo, que, pasando los límites de la verosimilitud, se presenta como algo incomprensible a los lectores del siglo XV y normal a los ojos de un lector moderno. Esto echa por tierra el dogmatismo con que la crítica inglesa atribuye a Defoe la introducción de la evidencia circunstancial y, siendo esto un factor esencial al realismo moderno, el de aquellos otros críticos que les gusta poner líneas divisorias y fechas y sitios de nacimiento a los movimientos literarios, olvidando su temprana gestación.

Nos conviene añadir, para dar la debida autoridad, por un lado, y salvaguardar la ética de todo investigador, por otro, que no vamos a hacer otra cosa que exponer y elaborar con cierta extensión las ideas ya avanzadas por dos autores, cuya experiencia como críticos y literatos, parecen haber dado más que nadie en el clavo, en el enigma de nuestra obra. Nos referimos a Dámaso Alonso y a Mario Vargas Llosa, los cuales, por diferentes senderos y puntos de vista, llegaron a las mismas conclusiones.

Más adelante demostraremos asimismo, que las escenas del *Tirant*, que parecen imposibles, se presentan, sin embargo, tan convincentes como aquellas que son posibles y verosímiles, pero con un efecto pretendido por el autor: el humorismo. De esta forma pondremos al servicio de nuestro estudio las nociones especulativas sobre el realismo, que ya avanzamos en el capítulo primero.

El realismo, en sus varias formas, se presenta en el *Tirant:* a) en una curiosidad científica que rechaza las explicaciones milagrosas de los hechos naturales; b) en reforzar esta verosimilitud con otras evidencias laterales de la realidad, y no esenciales al relato; c) en evidencia circunstanciales, tampoco necesarias al relato, pero trabadas a él, que pueden concordar o estar en socarrona fricción con la situación; d) en una atmósfera de realidad, de la vida cotidiana, imprevisible en su espontaneidad y en su lenguaje; e) en una inmoralidad vitalista; f) en un humorismo burlón, basado en situaciones improbables o imposibles en sí mismas, que parecerían inverosímiles, pero que el autor presenta con la realidad vitalista de sus días; g) en un uso chusco de la metáfora militar aplicada a la batalla sensual.

Curiosidad científica

Nada sucede en el *Tirant*, a excepción del milagro en el capítulo CCCXL, que no tenga una explicación lógica y razonable. Es el mismo realismo que hallaríamos hoy día en un reportaje periodístico detallado. En el realismo filosófico pragmático, planteado por el por qué, que esta obra nunca deja de responder.

En las bodas del Rey de Inglaterra (I, 203, cap. LV), se describe una roca artificial sobre la que hay un magnífico castillo, lleno de estatuas, de cuyos miembros manan vino, agua fresca, etc. Todo parece fantástico, de sueño, pero el autor se apresura a añadir: "E totes aquestes coses, senyor, no pense vostra senyoria sien fetes per encantament, ni per art de nigromància, sinó artificialment" (I, 204). [1]

Si Tirant gana una batalla tras otra, no es porque sea más fuerte que los otros, sino porque "més té giny que no força; e la major virtut que té és que li dura molt l'alé... jamés se perd per l'alé" (I, 256, cap. LXXIII).

[1] Estos castillos y artefactos se fabricaban efectivamente. En la coronación de Fernando de Antequera, en Zaragoza, en 1414, se construyó una fuente que manaba vino blanco y tinto, donde todos podían beber el vino que les placía. En 1432, en Londres, a la entrada de Enrique VI, se construyó una fuente de vino que manaba de tres estatuas: la Misericordia, la Gracia y la Piedad; cf. M. de Riquer, *Història*, II, 660. Este episodio, que a Martorell le parece tan admirable, le obliga a clarificar el asunto al lector. Recordemos las últimas palabras de otro episodio antes citado, el del Rey Arturo de Constantinopla, y consúltese la cita de Lausberg en la p. 32 de este estudio, lo que nos dará una idea de la antipatía de Martorell hacia lo inverosímil.

Más adelante tiene que recordar al lector del mismo detalle, por si se olvidó: "E Tirant té aquesta virtut, que no es pot perdre jamés per alé, que li dura tant com vol..."; por el contrario, el otro pierde por razones también lógicas: "e l'altre cavaller, així com era gran e gros, tenia molt poc alé e moltes voltes li fallia" (I, 278, cap. LXXXII).

Esta evidencia se tiene que reforzar con otra no esencial a la narración, pero que lleva la verosimilitud a una perspectiva más amplia, más realista: "...e reposava's sobre l'atxa per recobrar alé" (Ibid.). Con estas premisas, la acción de Tirant cobra más relieve, se recorta: "Tirant conegué lo defalt que l'altre tenia e no el deixava reposar perquè es cansàs, e l'altra, perquè es desagnàs, tenia'l a noves, una volta acostant-se molt a ell, altra se n'apartava, en tant que lo pobre cavaller feia son gran esforç de dar gran colps tan mortals com podia; emperò a la fi, per la sang que perduda havia e per defalliment de l'alé, que no li ajudava, vengué en punto que les cames no el podien sostenir" (Ibid.). El resultado es lógico. La descripción es rápida, viva. Examinando el lenguaje, salta a la vista, que la acción va siempre explicada por incisos, oraciones circunstanciales, subordinadas. Muchas de estas circunstancias, no son necesarias a la verosimilitud de la acción; sin embargo, esta nitidez de pormenores la colocan frente a nuestros ojos.

Efectivamente la observación de que Tirant conocía, se dio cuenta de "lo defalt que l'altra tenia," no es necesaria a la acción. Es un inciso, una observación psicológica que el lector no solamente ve, porque viene descrita inmediatamente, sino que la intuye. A continuación la acción se empieza a recortar, a adquirir relieve: Tirant se acerca y se aparta constantemente para acabar con el poco aliento que le queda a su contrario. Ya anteriormente se añadió que el pobre caballero era gordo y tenía que reposar sobre el acha para recobrar el aliento. Es decir que se han añadido tantas circunstancias no esenciales a la acción, que ésta ya se intuye antes de que llegue al final, sin necesidad, incluso, de mucha descripción.

Así, sencillamente, es como Tirant vence en combates. Nada de extraordinario, nada de milagroso. Nuestro héroe es, en pocas palabras, un hombre muy listo "que més té giny que no força" y que sabe regular su respiración, mientras que el otro caballero, grande y gordo, todo fuerza bruta y nada de "giny," no tiene la inteligencia y agilidad de Tirant.

Tanto las victorias náuticas de Tirant, como las jornadas terrestres, son posibles gracias a alguna estratagema lógica y científica.

Varoich vence a los moros (I, 135, cap. XII) con cierta fórmula que incluye cal viva, de suerte que, al prender fuego al campamento de aquéllos, en vez de apagar el fuego "con més aigua hi llançaven més s'encenia." Los moros, sorprendidos en medio de su sueño, no tienen tiempo de organizarse y son derrotados.

De nuevo nos encontramos con el estupor del autor que declara ser verosímil lo que no lo parece: "Cosa és de gran admiració —dix lo Rei— que ab oli e ab resina de pi s'hagen apagar, e no ab altra cosa, car jo creia que l'aigua apagava tots los focs del món. ...—Jo jamés haguera pogut creure experiència tal si de mos ulls no ho hagués vist. Ara no tinc res per impossible que los hòmens no sàpien fer" (I, 132, cap. X).

No es la fuerza el arma suprema en las batallas. Como decimos hoy en día: "Más vale maña que fuerza"; algo que Martorell se ha aprendido de memoria, y que comunica a sus personajes, sobre todo a Tirant.

Para apresar a unos espías moros, los hombres de Tirant se ocultan al lado de una fuente, donde, a la fuerza, han de ir aquéllos a beber, sobre todo con el calor y bochorno del mediodía. Eso hubiese sido suficiente para la verosimilitud del relato; sin embargo se añade: "—No es moga negú fins que sien farts d'aigua, car no poran tant córrer" (I, 429, cap. CXXXIII). Magnífica intuición. ¿Quién no ha experimentado la pesadez que produce una panzada de agua?

En el mismo capítulo (CXXXIII), Tirant derrota al turco, numéricamente superior, a través de otra estratagema militar: lanzando en el campo enemigo un montón de yeguas. Los caballos de los enemigos, guiados por el instinto que les dio madre naturaleza, se encargan del resto, pues cuando éstos sintieron la presencia de aquéllas, "los uns se soltaven, los altres rompien los dogals, los altres arrancaven les estaques: veuríeu anar tots aquells cavalls del camp, uns de ça, altres de lla, altres detràs les egües" (I, 430). El desconcierto de los caballos se comunica a los hombres. La anarquía es absoluta y Tirant, que dirige la batuta, se aprovecha para acabar todo ese desconcierto en una rotunda victoria.

Una tras otra, todas las victorias de Tirant son explicadas en una forma lógica e intuitiva. El inciso circunstancial se convierte en una constante cadena de oraciones subordinadas que plastifican, amplían y agrandan la perspectiva de la acción.

En el capítulo CCCIX, Tirant, la víspera de la batalla, unta las bombardas enemigas con ácido corrosivo, que las oxidan, de suerte que al disparar se rompen y, como vulgarmente se dice, les sale el tiro por la culata, puesto que "l'ungüent era compost de tals materials que neguna natura de metall que en sia tocat torna ferrigible, sol que hi estiga per espai de tres hores, que al desparar que la bombarda o ballesta fa, per força s'ha de rompre" (II, 254).

Las artimañas continúan: Tirant hace creer que se le escapa un esclavo albanés, el cual se recoge en la fortaleza enemiga, con la intención de ayudarle a entrar en ella. La farsa es descrita con minucioso detallismo. El enemigo no podía sospechar la estratagema (cap. CCCXII). En otra ocasión (cap. CCCXXI) hace colocar en la muralla de la fortaleza a los prisioneros enemigos para que aquéllos, por miedo a herirlos, dejasen de bombardear. En el capítulo CCCXXXIX, Tirant coloca láminas de hojalata en las cámaras bajas de la muralla para detectar cualquier ruido, y evitar la posibilidad de que el enemigo las minase.

Siguiendo con sus explicaciones, Martorell razona los triunfos de Tirant: un genovés, Almedixer, hace una pócima con barbas de cabrón y grasa de carnero, y la enciende cerca del campo enemigo, cuyos toros, al percibir el humo y el olor, salen de estampida creando pánico y confusión en el campamento (cap. CCCXXXIX); por falta de hombres, Tirant hace disfrazar a las mujeres de soldados y las expone a la vista de los enemigos, engañándolos y desanimándolos (cap. CCCXLIII).

Los trucos terrestres del Tirant se hacen marítimos. Al pasar el estrecho de Gibraltar, un marinero cubre el navío de Tirant con una red sobre la que rebota la artillería enemiga (cap. C); el navío del almirante genovés es mañosamente incendiado en el puerto de Rodas, por otro marinero de Tirant, lo que acaba con el sitio de la isla (cap. XVI); la armada combinada de turcos y genoveses es derrotada por Tirant al salirles éste al encuentro con doce naves y varias barquichuelas, que al ser de noche oscura, llevaban un farol encima del mástil, o de un remo, haciendo creer al enemigo que eran 64 galeras (cap. XLIV): "Con los enemics veren tantes llums, pensaren que totes aquelles llums eren naus..." (I, 573).

A estas explicaciones se añaden otras de tipo disciplinario: Tirant es un hombre rígido y duro, y mientras estaba de campaña "nunca se despullava sinó per mudar camisa" (I, 427); a esto se agrega una cautela constante y una vigilancia de carreteras y caminos admirablemente organizada. Más aún: "La causa de la mortaldat de tants moros fon perquè no eren tan ben armats com los crestians, ni portaven los caballs tan bons, ni encobertats." De ahí que "a un crestià que morís moriren cent moros" (II, 333, cap. CCCXL).

Pero no creamos que esta forma de realismo se aplica sólo al aspecto militar. También se halla en otras circunstancias diferentes: el embajador que Tirant envía al emperador, desde el norte de Africa, se puede comunicar con aquél porque "Aquest embaixador era home de gan eloqüència, molt savi, e sabia parlar de tots los llenguatges" (II, 411, cap. CCCXXXVIII). De la misma forma, "...la Princesa, perquè era senyora de noble enteniment e discreció, en lo passat temps havia après de molts llenguatges per la pràctica dels estrangers ...e molt més que sabia parlar la llengua llatina per haver après de gramàtica e poesia..." (II, 538, cap. CDLXIII), lo cual hace posible que ésta se comunique con Maragdina, esposa de Escariano, pues ésta también había aprendido latín. Asimismo un fraile de la Merced, natural de Lérida, puede catequizar a los moros, porque habla lengua morisca (II, 428).

Todo ha sido previsto por Martorell. Todo halla una explicación lógica, desde las muchas victorias de Tirant y sus pocas derrotas (II, 325, 334, 342), hasta la identidad de personajes secundarios: en el capítulo CCXLVIII sale a relucir un Rey de Tremicén, con lo que el lector se queda confuso. Tal vez, adivinando esta perplejidad, Martorell, más adelante, en uno de sus incisos circunstanciales, aclara que a este Rey lo "havien elet per mort de l'altre que lo rei Escariano havia mort, e era nebot d'aquell" (II, 403, cp. CCCLXXXIV).

La conclusión a que un lector cuidadoso del *Tirant* llegará es que Martorell es un hombre terrestre, para el que cualquier explicación que no sea lógica no tiene cabida en su libro. Ha muerto lo absurdo, lo fantástico, lo desmesurado, lo increíble. Uno puede muy bien ver que una aserción como ésta, mata de golpe la esencia del mundo de los libros de caballerías. Si es esto lo que se propuso Martorell, es difícil saberlo. Lo que sí es cierto es que Martorell, valenciano, con las costumbres realistas y positivas del espíritu catalán, más alguna herencia árabe, es también un caballero convencido, pero tan "sui generis" que lo convierte, aun en su siglo, en un espécimen raro.

Evidencias laterales

Imaginemos un reportaje periodístico del siguiente tenor: "Cuando la fiesta estaba alcanzando su apogeo, un fulano se acercó, sin ser observado por casi nadie de la concurrencia, al señor N. y le disparó un tiro en la cabeza. El espanto y anarquía fue total." Hasta ahora todo cae dentro de límites muy verosímiles: un disparo, un asesinato en una sala de fiestas produce, efectivamente, pánico y desconcierto. Hemos colocado los elementos necesarios al realismo, a la verosimilitud del hecho: fiesta, disparo, confusión. No necesitamos nada más. Sin embargo, si haciendo hiscapié en el desconcierto que se sigue el reportero añade: "Todos apretaban por todas partes, abriéndose paso a codazos, pisándose, atropellándose; de suerte que algunos tuvieron que ser tratados por rasguños y lesiones menores," ¿qué estamos haciendo aquí? Estamos incrementando la intensidad mimética, añadiendo evidencias laterales de la realidad, no esenciales al reportaje, pero que lo hacen más creíble, más plástico. Con decir que hubo desconcierto, era suficiente. Añadiendo los codazos, empujones, el número de heridos y el tratamiento médico, es añadir al hecho otras evidencias que intensifican su realismo.

Esta es la técnica que Dámaso Alonso[1] ha notado en Martorell. Se fija aquél en un ejemplo —el lector los encontrará a cada paso—: en el capítulo CLXVI, el Emperador, para honrar a Tirant, hace extender una alfombra de terciopelo rojo, y "Com ell fon passat, qui més podia pendre de la seda, d'aquell era; e veren molts nafrats en les mans, d'espases e de coltells; per tallar d'aquell drap de seda" (I, 581). Bastaba con decir que el Emperador, para honrar a nuestro héroe, hizo cubrir el suelo con terciopelo para que él pasase. Todo lo que se sigue, es otra evidencia de la magnificencia del Emperador, expresada de esta forma de evidencia lateral, distinta, añadida.

A este ejemplo, por respeto a la brevedad y precisión, añadiremos sólo unos pocos: A su regreso de las fiestas de Londres, Tirant se detiene con sus compañeros a visitar al ermitaño, al cual Diafebus relata las hazañas de Tirant, porque la humildad le impide a éste relatarlas él mismo: "E Tirant llevà's e anà-se'n per dar orde d'haure les coses que tenien a servir al pare ermità" (I, 282, cap. LXXXIV). Acto seguido Diafebus empieza a explicar las hazañas. Aunque la acción de Tirant no se refiere a lo que hablaban antes ni a lo que se sigue, es sin embargo una evidencia lateral de la humildad de éste, que se ausenta con el pretexto dicho, para no presenciar sus propias alabanzas. Martorell ha tenido la precaución de colocar este inciso en el sitio más apropiado.

En el capítulo CXLVIII, Tirant, recuperándose de su

---

[1] Cf. el estudio citado de D. Alonso, "*T. lo B.*, novela moderna," pp. 181-182.

enfermedad, se alegra mucho de la visita de la Princesa y otras féminas: "E no us penseu que Tirant desitjàs molt prestament guarir" (II, 149). Este inciso se convierte en otra evidencia lateral de lo mucho que Tirant disfrutaba la compañía de su dama, hasta el punto de no querer sanar. La visita de las damas y el sanar son dos aspectos diferentes. Martorell corrobora el primero minimizando el segundo, que se convierte en una coevidencia del placer que Tirant sentía ante la perspectiva de ver a su joven Princesa.

La evidencia circunstancial

Al llegar a este recurso realista, nos hallamos ante algo muy viejo y muy nuevo. Se puede añadir o no para la verosimilitud del relato. En la Edad Media nos hallamos con éste en áspera fricción con la situación representada; es eso, afirma D. Alonso ("*T. lo B.*, novela moderna," pp. 182-183), lo que hace sonreír al lector moderno de los poemas medievales. Un ejemplo, que Dámaso Alonso aduce, es el inciso circunstancial que lleva la imaginación del lector desde la sombría tragedia de Corpes, en el *Mío Cid*, al sombrero de Félez Muñoz: "nuevo era e fresco, que de Valencia'l sacó."

Berceo, en el *Duelo de la Virgen*, presenta a los guardias que van hacia el sepulcro medio borrachos y "controvando cantares que non valian tres figas." Esta evidencia circunstancial, por su lenguaje y por su fricción con la situación —el sepulcro—, tiene la virtud de añadir más realismo a la conducta de los guardias, en chusca fricción con la escena descrita. El lector no puede menos que sonreír.

Otros ejemplos del *Mío Cid:* El Rey de Marruecos, apesadumbrado por la pérdida de Valencia, se queja de que el Cid se le ha metido por sus tierras: "e él non gelo gradece / Sinon a Jesu Cristo."[1] La batalla que se sigue para reconquistar Valencia, es ganada por el Cid, quien persigue a su enemigo hasta Cullera y es entonces que el Cid "allí preció a Bavieca / de la cabeça fasta a cabo" (Ibid., p. 142)

Son circunstancias, evidencias, que por su espontaneidad, chocan con el ambiente, a veces reforzando la verosimilitud esencial de la narración, a veces como detalle innecesario y humorístico. Es esta evidencia circunstancial, que fluye en la mayoría de los escritores medievales, antes que se convierta en técnica de la novela moderna, la que la crítica inglesa atribuye a Defoe, bastantes siglos después.

Pues bien, lo mismo que en estos ejemplos, "encontramos por todas partes en Joanot Martorell el pormenor esperable, naturalísimo, con frecuencia no esencial para la verosimilitud del relato. Aquí reside mucho de lo que nos excita, no sólo como inaudito a mediados del siglo XV, sino como rasgo característico de la técnica de Martorell; en ella, precisamente, las circunstancias esenciales y no esenciales para la verosimilitud del relato, casi siempre se entrelazan. Gracias a este entrelazarse, no sólo las acciones más complicadas se nos cuentan con absoluta limpidez, cohesión y racionalidad (que esto toca aun a la "verosimilitud" de la historia): se crea un ambiente, una profundidad,

---

[1] *El Cid,* ed. R. Menéndez Pidal (Buenos Aires: Espasa-Calpe Argentina, 1941), p. 134.

una mágica evocación de sensaciones rarísimas."[1]

Es necesario apuntar que toda la obra de Martorell, incluso aquellos pasajes "típicos" medievales, está impregnada de estos incisos circunstanciales, razón por la cual, daremos solamente unos pocos ejemplos:

En la lucha de Tirant con el perro, hay tantos de estos incisos circunstanciales, en este caso la mayoría esenciales o cuasi esenciales a la narración, que con sólo leer el episodio, se echa de ver el uso constante, que Martorell hace de este recurso. El Príncipe de Gales se presentó a las fiestas:

> E per quant és gran caçador portava de molts grans alans molt braus de presa, e estava aposentat prop la muralla de la ciutat. E fon sort que un dia lo Rei sol ab tres o quatre cavallers era vengut al seu alleujament per festejar-lo per causa com en puerícia havien tenguda gran amistat, i parents que eren molt acostats. E per quant lo Príncep volia fer armes e véu lo Rei en sa posada, suplicà'l que fes venir los jutges del camp per dar-li consell. Lo Rei prestament los féu venir, e tenint son consell secret era quasi migjorn passat, que en aquella hora les gents reposen. Tirant venia de la ciutat perquè es feia brodar una roba d'orfebreria. Com fon davant l'alleujament del Príncep un alà havia rompuda la cadena e era eixit de la posada, e havia-hi molta gent qui el volien pendre per lligar-lo, e ell era tan brau que negú no tenia gosar d'acostar-s'hi. (I, 234, cap. LXVIII)

La descripción no puede ser más detallista. A través de

[1] Dámaso Alonso, "*T. lo B.*, novela moderna," p. 183.

evidencias circunstanciales nos enteramos de que se tenían gran amistad desde la infancia; de que el Príncipe se aposenta cerca de la muralla; de que el consejo fue secreto; de que al mediodía la gente acostumbraba a sestear; de que Tirant se había hecho bordar un vestido.

Si consideramos que lo que Martorell va a relatar es la lucha de Tirant con un perro, entonces la mayoría de estas circunstancias sobran para la verosimilitud de la acción. No obstante, aquí, como en toda la obra, la acción adquiere relieve. Se ha creado un ambiente, una profundidad y una evocación de sensaciones: parécenos ver al Príncipe hablando con el Rey amistosamente, sin levantar las voces; la imagen del silencio se intensifica. La circunstancia aquí, no choca con el ambiente, lo complementa. Sólo la indicación de que es la hora de la siesta, es menos esperable, por lo obvio; es más cándida. Continuando la acción, nos hallamos con un inciso, que, sin chocar con la misma, es tan innecesario e inesperado, que resulta humorístico: viendo Tirant que al perro le viene miedo por causa de su espada, "llançà l'espasa detràs. E l'alà donà dos o tres salts e cuità tant com pogué, e ab les dents pres l'espasa e apartà-la un tros lluny, e tornà corrent envers Tirant" (I, 235).

Llegado del campamento, Tirant visita al Emperador y a la Emperatriz, la cual "féu grandíssima festa a Tirant, e rebé.l ab cara molt afable fent-li moltes carícies, per ço com l'havien mester" (II, 496, cap. CDXLII).

Acabada la batalla, Tirant ruega a Dios que le haga

conocer entre los muertos, a los cristianos. Los cristianos estaban todos con las manos juntas y la cara hacia arriba, "no llançant de si neguna mala olor," mientras que los moros yacían boca abajo, "e pudien com a cans" (II, 333, cap. CCCXL).

Estando Tirant recuperándose, después de romperse una pierna, en la aventura nocturna con la Princesa, le vinieron a ver la Emperatriz y su hija. Sin embargo, la Emperatriz, que algo sabía por una doncella suya, "de qui ella fiava molt més que de les altres," no se apartaba de allí, lo cual, indeseable como era, no les impedía que hablasen de sus amores "desitjant concordar la batalla que vengués a fi." La Princesa no faltaba nunca en irlo a visitar, "tant per l'interès quant per l'amor." Por su parte, a nuestro héroe poca gracia le hacía el marcharse a la guerra, pues a él lo que le interesaba era el cuerpo de su amada "e la guerra quisvulla la fes" (II, 149, cap. CCLVIII).

No obstante, la guerra empezó brava y salvaje, "sabent los turcs la malaltia de Tirant."

Cuando Tirant llega por primera vez al Imperio Griego, se encuentra con la ciudad en luto. Va a ver al Emperador, que mucho se alegra, y después a la Princesa y "dient l'Emperador tals o semblants paraules les orelles de Tirant estaven atentes a les raons, e los ulls d'altra part contemplaven la gran bellea de Carmesina. E per la gran calor que feia, perquè havia estat ab les finestres tancades, estava mig descordada mostrant en los pits dues pomes de paradís..." (I, 374, cap. CXVIII).

Cuando Diafebus se parte de Estefanía, ésta llora,
"car aquest és lo costum d'aquells qui bé es volen."

Explicando el ermitaño cómo aguantar el casco, le dice
a Tirant que debajo de la seda coloque hilo de hierro,
"d'aquell que posen en les llànties" (I, 254).

Podríamos multiplicar los ejemplos, pero bastan los
aducidos para demostrar la maestría con que Martorell usa este recurso literario.

Atmósfera de realidad

Todo lo dicho hasta ahora, conduce a lo siguiente: el
Tirant es un libro extraordinariamente realista.

Reales son las situaciones y realista el lenguaje:

> —Per ma fe —dix la Comtessa—, senyor, vostre
> consell no em par bo ni bell per a mi. Vol-me dar
> entendre vostra senyoria que aquesta art de cavalleria
> és benaventurada? Ans vos dic que és prou desaventu-
> rada, dolorosa, trista e de mal servir. Sí: voleu major
> experiència que de vostra senyoria? Car ahir éreu sa e
> alegre, e ara vos veig prou trist, coixo e malalt, ¡e
> trists d'aquells que hi deixen les persones! E açò és lo
> que em fa a mi dubtar del meu fill, car si jo era certa
> que no morís en les batalles o no fos nafrat, bé seria
> contenta anàs ab la senyoria vostra; mas, qui és
> aquell qui m'assegura los dubtes de les batalles? Que
> la mia ànima tremola d'extrema dolor, car lo seu
> ànimo és alt e generós que volra emitar los virtuosos
> actes de son pare. Senyor, jo sé que són molt grans los
> perills de les batalles e per ço la mia ànima repòs no

pot haver; lo millor consell per a mi és que l'altesa vostra me done mon fill, e vosaltres feu la batalla. (I, 151, cap. XXI)

¿Qué madre, a menos que fuese anormal, no vería la situación tal como es, y hablaría de esta forma? Leyendo este pasaje nos parece oír el eco de las muchas arengas que Sancho dirigía a su señor Don Quijote, cuando ambos se veían malparados y maltrechos. La caballería era buena para Don Quijote y el Conde de Varoich, pero no relucían mucho al Sancho de Cervantes ni a la Condesa de Martorell.

La madre de este pasaje, por temor de que su hijo sea arrebatado, habla con lucidez y persuasión. Su lenguaje es rápido, vivo, simple. ¿Se puede pedir algo más realista?

Tirant está a punto de marchar a la batalla, y la Princesa, que ya sintió la flecha del amor, le pregunta si necesita algo antes de marchar. Tirant la responde con una insinuación tan sutil y tan lasciva que hace exclamar a la Princesa:

—Ai Capità —dix la Princesa—, com sou hui eixit tot beneit! Par que no sapiau mal ni bé. E jo bé entenc vostre llenguatge, per bé que jo no sia estada en França...

—Senyora —dix Tirant—, no em bandegeu de vostra majestat, car no volria que us ne prengués aixì com fan les juïes, que, com volen parir, que tenen les dolors del part, reclamen a la Verge Maria, e com han parit e són delliures de tot mal prenen una tovallola ben blanca e van per tots los cantons de la casa dient: "Fora, fora, Maria, de casa de la juïa."

—Ai, en beneit!... (I, 422, cap. CXXXII)

Aparte el hecho, del que hablaremos más adelante, de la obsesión sensual de Martorell, en un caso como éste, no creemos que un amante adopte otro lenguaje, ni otra actitud. Siente la pasión, sabe que se va a lo incierto de la batalla y es preguntado por la mujer amada qué es lo que quiere. La respuesta es bien obvia. Puesto en términos de hoy día, tanto la actitud persuasiva de Tirant, como la respuesta y lenguaje de la Princesa, no han cambiado mucho: "Ai, beneit!," "Ai, en beneit!," "E jo bé entenc vostre llenguatge!" ¿Se podría pedir algo más espontáneo? ¿No es un eco este lenguaje del "beneit," "en beneit," que hoy día aflora en el lenguaje catalán? O el inciso circunstancial, tanto catalán como universal: "per bé que jo no sia estada..." ("Aunque yo no haya...," "Although I haven't...," "Bien que je ne...").

La lengua, tan simple, parece fluir de la pluma de Martorell, ágil, libre y espontánea:

—Ma filla, vés on te vulles, que jo só contenta. (I, 377)

—Santa Maria val! —dix la Princesa— I què és lo que em dieu! (I, 423)

—Bona Pasqua vos done Déu! (I, 568)

—No penseu que los angèlics ulls de la Princesa perdessen jamés de vista fins que fon fora... (I, 426)

—Per los ossos de mon pare! (I, 484; II, 95)

—O perro, fill de gos! (II, 315)

—Ai Tirant com est coixo! (II, 366)

—Calla, que est folla! (II, 96)

—Val-me Déu, i com est feixuga! (II, 103)

—Que, mala ventura, fas? No em pots lleixar dormir? ¿Est tornada folla...? (II, 104)

—Voleu fer bé, donzelles? Puix lo palau és assossegat tornem a dormir. (II, 111)

—Anem, que jo em refrede ací! (II, 112)

—Dóna'm la camisa, e més no em digues. (I, 525)

—Maleït sia qui tal cosa troba! —dix lo Soldà—... (I, 510)

—... Besa'm e lleixa'm, anar, car l'Emperador m'està esperant (II, 20)

—Anem al llit! (II, 155)

Sin embargo, este realismo del lenguaje no sólo se halla en las exclamaciones y diálogos rápidos, sino en las descripciones, en los refranes, muchos de ellos desaparecidos o transformados:

Anau ab la pau de Déu, e no em vingau pus en casa. (I, 266)

Vosaltres genovesos sou gent desconeixent, que sou

tals com los àsens de Sòria, que van carregats d'or e mengen palla. (I, 296)

... més val estar sola que ab mala companyia. (I, 345)

...d'aquests tals se'n trobarien més que no tinc cabells al cap. (I, 412)

Los refranes salpican toda la obra de Martorell. Desaparecen casi enteramente a partir del capítulo CCCXIX, lo cual hace suponer a los críticos la intervención de Galba, con sucesivas y frecuentes interpolaciones. Sin embargo, el refrán, la expresión más realista, producto del pueblo, es un índice del realismo de una obra. Famosos continúan siendo los refranes y sentencias del *Quijote*. Muchos de los refranes del *Tirant*, ya estudiados por F. de B. Moll, tienen aún vigencia, como los ejemplos mencionados. Otros se hallan aún en colecciones,[1]   aunque han pasado de uso, tales como el que hallamos en el capítulo XXII: "per natura caça ca" (I, 153). El hecho es que, al igual que en el *Quijote*, el refrán como algo natural, es parte del lenguaje de Martorell, y, "... per lo mateix qu'es una expressió popular breu i sentenciosa, fon molt propi del caràcter valenciá i de la sua llengua..."[2]
Más aún, el refrán es la ciencia, la experiencia popular, es "la reflexió profunda i condensada d'una veritat dictada per la raó i l'experiència..., la nota de color viu i delicat."[3]

---

[1] Cf. F. de B. Moll, "Els refranys," *op. cit.;* E. Alberola, *Refraner valencià* (Valencia: Arte y Letras, 1928); Joan Amades, *Folklore de Catalunya:* "Cançons, refranys, endevinalles" (Barcelona: Editorial Selecta, 1951), vol. II.
[2] Alberola, *Refraner,* pp. 3-4.
[3] Amades, *Folklore de Catalunya,* II, en el prólogo.

Donde se nota, tal vez con más llaneza que en otras circunstancias, esta atmósfera de realidad es en el aspecto erótico del libro. Este aspecto, que más adelante calificaremos con Dámaso Alonso ("*T. lo B.*, novela moderna," p. 179) de "inmoralidad vitalista," se puede enfocar desde muchos puntos de vista: desde el punto de vista de su humorismo, que resulta de crear una situación realista sin base real —improbable pero verosímil— dada la alta categoría de los personajes envueltos en las escenas; desde el punto de vista del realismo que este recurso ofrece a toda la obra —inmoralidad vitalista—, y desde el punto de vista de la atmósfera de realidad que ofrecen sus descripciones. Es desde este último enfoque que lo trataremos aquí.

Efectivamente, el poder descriptivo es admirable en este aspecto: en una de las orgías nocturnas, Plaerdemavida no participa como intermediaria, aunque el poder descriptivo de Martorell, lleno de incisos circunstanciales, nos da a entender que Plaerdemavida sabía muy bien lo que iba a pasar:

> ...com Plaerdemavida véu que la Princesa no es volia gitar, e li havia dit que se n'anàs a dormir, e aprés sentí perfumar, prestament pensà que s'hi havia de celebrar festivitat de bodes sordes.

> Venguda l'hora assignada, Estefania pres un estadal en la mà encès, e anà al llit on dormien les cinc donzelles, e mirà-les totes d'una en una per veure si dormien. E Plaerdemavida tenia desig de veure e sentir tot lo fet, e detingué's, que no dormí. E com Estefania vingué ab la llum, tancà los ulls e féu semblant que dormia. Vist per Estefania que totes dormien, obrí la porta sens fer remor, perquè negú no

ho sentís, e ja trobà a la porta los cavallers que
estaven esperant ab més devoció que no fan los jueus
al Messies. (I, 559, cap. CLXIJ)

Martorell se ha convertido en el maestro de la
pincelada. No se le escapó ningún detalle. El cuadro,
como en otras ocasiones, adquiere relieve gracias a la
pincelada. Plaerdemavida presiente lo que aquí va a
pasar: la Princesa no se quiere ir a dormir; despacha a
la doncella; perfuma la habitación. Son las pinceladas
suficientes que Martorell necesita para sugerir. La
conclusión a que llega Plaerdemavida es expresada con
cierto humorismo pecaminoso: "festivitat de bodes
sordes." Es la rúbrica de Martorell, que nunca falla en
estas escenas. Después de esta observación se prepara
el escenario con otras pinceladas plásticas en que las
palabras o frases clave son: "estadal... encés," "llit,"
"dormir," "semblant que dormia," "sens fer remor."
Con estas palabras y frases se ha creado un ambiente:
luz-sombra, silencio y espiar. Continuando la escena,
descrita por Plaerdemavida, que cuenta lo acaecido
como si fuese un sueño que ella tuvo, el cuadro se
empieza a recortar incluso más. Se perciben los
cuchicheos y los ¡ays!

Es curioso notar, además, el recurso de Martorell de
no describir la escena, sino dejar que Plaerdemavida la
cuente, con su alegre e inocente inmoralidad. De
hecho, Martorell no describe ninguno de estos hechos,
siempre lo pone en boca de personajes, o lo sugiere
psicológicamente a través de la intensidad y pasión del
lenguaje. Es como una pintura impresionista, que al
acercarse uno a ella desaparece y sólo se aprecia a
distancia. Fijémonos en el asalto final de nuestro

héroe, en que hace suya a la Princesa, y observemos el tono "in crescendo" y apoteósico del lenguaje, que va sugiriendo, pero nunca describiendo:

—Mon senyor Tirant, no canvieu en treballosa pena l'esperança de tanta glòria com és atényer la vostra desijada vista. Reposau-vos, senyor, e no vullau usar de vostra bel.licosa força, que les forces d'una delicada donzella no són per a resistir a tal cavaller. No em tracteu, per vostra gentilea, de tal manera. Los combats d'amor no es volen molt estrènyer; no ab força, mas ab ginyosos afalacs e dolços engans s'atenyen. Deixau porfídia, senyor; no siau cruel; no penseu açò ésser camp ni lliça d'infels; no vullau vençre la que és vençuda de vostra benvolença: cavaller vos mostrareu damunt l'abandonada donzella. Feu-me part de la vostra homenia perquè us puga resistir. Ai, senyor! I com vos pot delitar cosa forçada? Ai! ¿E amor vos pot consentir que façau mal a la cosa amada? Senyor, deteniu-vos, per vostra virtut e acostumada noblea. Guardau, mesquina! Que no deuen tallar les armes d'amor, no han de rompre, no deu nafrar l'enamorada llança! Hajau pietat, hajau compassió d'aquesta sola donzella! Ai cruel, fals cavaller! Cridaré! Guardau, que vull cridar! Senyor Tirant, no haureu mercè de mi? No sou Tirant! Trista de mi! Açò és lo que jo tant desijava? Oh esperança de la mia vida, vet la tua Princesa morta! (II, 489-490, cap. CDXXXVI)

Tanta exclamación y súplicas se han de tomar en conjunto y perspectiva. Todas van sugiriendo y la sugestión se convierte en evidencia cuando la Princesa exclama: "No sou Tirant!" Si en todos los anteriores atentados, Tirant cede y continúa siendo Tirant, ¿qué es lo que pasó aquí, que Tirant ya no es Tirant?

Tirant, creyendo haberla muerto, va a por ayuda, y Plaerdemavida, ahora ya Reina, se dirige a la Princesa: "—Ai na beneita! Com sabeu fer lo piadós!" (II, 491).

No creamos que el poder descriptivo de Martorell se limite a los aspectos sensuales, en los cuales, indudablemente, sobresale, sino que se extiende a todos los temas que toca. Veamos el ejemplo de una batalla "a ultrança":

L'u anà devers l'altre com a hòmens rabiosos. Dels primers colps que es tiraren, lo cavaller francès portava la coltellina alt damunt lo cap, e Tirant la portava damunt los pits. Com foren prop l'u de l'altre, lo cavaller francès tirà gran colp a Tirant per mig del cap, e aquell rebaté-lo-hi e contrapassà, e de revés donà-li un colp sobre l'orella, e tant com ne pres tant li'n féu caure sobre lo muscle; quasi lo cervell li paria. L'altre donà a Tirant en mig de la cuixa, que un gran palm badava la coltellada. E tornà-li'n tan prest a dar altra en lo braç esquerre que fins a l'os li aplegà. E tantes armes feia cascú que era cosa d'espant. E estaven-se tan prop, que cascun colp que es tiraven se traïen sang que era una gran pietat qui els veia les cruels nafres que l'u e l'altre tenien, que totes les camises eren tornades vermelles de la molta sang que perdien. Tristes de les mares que parits los havien! (I, 228, cap. LXVII)

La expresión final es el apoteosis de una descripción detallada y realista que ha ido "in crescendo." Fijémonos en la descripción: se atacan, se hacen heridas aquí y allá, que se van mencionando, pero al final ya no se menciona ninguna herida en particular, sino que todo se llena de sangre, se empapa y hace exclamar el autor horrorizado de la carnicería que nos presenta. Notemos además cómo el lenguaje se va haciendo más rápido, y en vez de describir al final las acciones defensivas de ambos, sólo se van describiendo los efectos ofensivos.

Dejando aparte el realismo vitalista, en que caen lo sagrado y lo profano, la gente regia con vitalidad popular valenciana —es decir, lo imposible o improbable, pero verosímil—, resumamos este apartado haciendo notar la atmósfera de realidad que lo cubre todo, gracias al uso excelente de un lenguaje popular. La maestría en la descripción detalladísima, y la sugerencia en la que el lenguaje alcanza finalmente su apogeo mimético.

Inmoralidad vitalista [1]

[1] Dámaso Alonso ("*T. lo B.*, novela moderna," p. 179) califica el erotismo de Tirant de inmoralidad vitalista y añade: "Los héroes de Martorell se mueven 'entre la carne y el espíritu,' en estos personajes, sensualismo y religiosidad conviven en forma dificilísima de explicar" (Ibid. et passim). Nota además Dámaso Alonso que todos los personajes de Martorell son muy verdaderos: "Plaerdemavida, realísima en su alegría, en su malicia, en su irrefrenable y amoral naturalismo; la traidora Viuda Reposada, como (con?) una inmensa sexualidad... la Princesa, tal una 'dèmi-viérge' de principios del siglo XX, de profunda sensualidad reprimida" (Ibid., p. 184), y en último término, Tirant, "en quien chocan el código unitario del honor y la caballería con los ímpetus de la juventud y de la carne" (Ibid., p. 185). En este choque de Tirant, lo artístico cae del lado de la vida.

"Inmoralidad vitalista" se refiere, por tanto, al motivo psicológico que mueve a los personajes del *Tirant*, y que es expresado sin tapujos, con una naturalidad vibrante. Ante él se desploma lo típico moralista medieval y nace lo moderno. Es, precisamente, este

Al llegar a este punto, nos hallamos con el valenciano Martorell, el caballero, el soldado, el burgués, con el cual los siglos medios se derrumban definitivamente. Como el lenguaje de los soldados de cuartel, la analogía armas-amor corre a lo largo de todo el libro, salpicándolo de un humor desvergonzado.

Conviene, no obstante, hacer notar dos cosas: la primera es que el contraste analógico armas-amor limpia el lenguaje de las referencias y descripciones crudas y directas que tienen el *Spill* y *La Celestina*, y, en cierta forma, el *Corbacho*, y como apoteosis *La Lozana andaluza*. Nada de crudezas. Sin embargo, permite al autor jugar más con el lenguaje, hacer más sugerencias picantes y desvergonzadas, y, en resumen, mostrar una obsesión constante, que difícilmente se halla en otras obras del tiempo o posteriores. La metáfora, además, con el humor consiguiente, da un toque más pecaminoso y amoral.

La segunda es que, aun cuando no se use la metáfora militar, las referencias directas nunca son crudas, sino humorísticas al par que desvergonzadas.

Nos vamos a fijar aquí en el aspecto sensual y amoral de la obra, y en el hecho de que Martorell nunca desperdicia la ocasión de apuntarlo. Más adelante nos fijaremos en el aspecto humorístico.

naturalismo amoral ante el que caerán —chocando— personajes tan egregios, lo que sirve de base al realismo humorista —improbable y verosímil— que salpica gran parte del *Tirant*. Véase más adelante.

Hablando del castillo artificial, menciona la estatua de una doncella que "tenia les mans baixes en dret de la natura" (I, 202), y de allí salía vino blanco. Inmediatamente menciona la estatua de un obispo, con las manos elevadas al cielo. Tal vez sea prematuro saltar a conclusiones, pero parece curioso que entre todas las estatuas que había, coloque a estas dos sucesivamente. Si lo hizo o no por humor, es difícil de saber. El hecho es que resulta humorístico.

La obsesión erótica es más obvia en la escena en que Tirant pide a la bella Agnés el broche que lleva en el vestido: "E per quant lo fermall estava lligat ab la cordonera del brial e no es podia llevar sens que no fos descordada, e descordant-la, per força ab les mans li havia de tocar als pits, Tirant ab la mà pres lo fermall e basà'l..." (1,217, cap. LX). Y se lo puso en el bonete, para que todos los viesen.

No es, sin embargo, en Inglaterra, tierra fría, donde el erotismo de Martorell se manifiesta, sino que sólo se insinúa. Tenemos que llegar al sol y al temperamento del Mediterráneo para que empiece a florecer y a dar frutos.

En Rodas, un genovés, que descubre la traición de los caballeros implicados, requiere de amores a una dama y "ell obtingué tot lo que volgué; e açò fon lo Dijous de la Cena" (I, 296, cap. XCVIII). Naturalmente, la traición estaba fijada para Semana Santa; no obstante, ¿tiene Martorell necesidad de mencionar el Jueves Santo inmediatamente después de la insinuación anterior? ¿Influencia árabe, humor, ambos? No sabríamos responder. Hay razones para creer en el punto humorístico, sin embargo, también las hay para creer en la influencia árabe en el pueblo valenciano.[1]   En el capítulo cien, Tirant intenta persuadir a la Princesa siciliana para que satisfaga los deseos sexuales del Príncipe de Francia, Felipe, y las razones que da son que este Rey de Francia posee en su escudo de armas tres flores de lis ("lliri") que nuestro Señor le envió a través de un ángel. De ahí que, si la Princesa accede, puede conseguir un gran honor, tanto espiritual como mundanal.

En la misma corte siciliana, Tirant hace el papel que más tarde Plaerdemavida hará por él, aunque sin la gracia de aquélla: intermediario. Tan persuasivo para convencer a Ricomana que comparta su lecho con Felipe es Tirant, como Plaerdemavida lo era para que la Princesa cediera a la pasión de Tirant. Nos encontramos con ciertas características de la "típica Celestina," o Vétula, o Trotaconventos. Dice Tirant: "E

---

[1]   Para el árabe no hay límites que separen lo religioso y lo profano. El tema erótico es tratado con una naturalidad extraordinaria, en la que no se nota, sin embargo, ninguna traza del humorismo amoral que hallamos en la cultura occidental o en *Tirant lo Blanc.* Esto es sobre lo que George Ticknor llamó la atención por primera vez llamándole "integralismo árabe" y afirmando que, en cierta medida, afecta la literatura medieval española; cf. G. Ticknor, *History of Spanish Literature* (New York: Harper and Bros., 1854), "Preface" et passim.

Esta hipótesis explicaría, en cierta forma, esta mezcla que vemos en el valenciano Martorell. Aunque nos inclinamos a pensar que el motivo sea más bien humorístico-satírico.

En cuanto a un ejemplo del erotismo e integralismo árabe, nos lo ofrece *El Collar de la Paloma,* de Ibn Hazm de Córdoba; cfr. Américo Castro, *Réalité de l'Espagne,* trad. de Max Campserveux (Paris: Klincksieck, 1963), pp. 235-249, 413-420.

culpa gran és de vostra senyoria com no el teniu al costat en un llit ben perfumat de benjuí, algàlia, almesc fi, e a l'endemà si vós me'n dieu mal, jo vull pasar la pena..." (I, 346, cap. CX).

No contento con palabras, Tirant hace entrar a Felipe en la habitación de la Infanta, lo mismo que Plaerde- mavida hará con él, y se las arregla para que la Infanta despache a sus doncellas y ruega a aquélla que se deje besar por Felipe, a lo cual ella se opone: "E Tirant signà a Felip, e aquell prestament la pres en los braços e portà-la en un llit de repòs que hi havia e besà-la cinc o sis voltes" (I, 356, cap. CXI). A los reproches que siguen, y que harán eco más tarde en los de la Princesa, responde Tirant: "¿Com pot Felip ésser enemic de l'excel.lència vostra, qui us ama més que a la sua vida e us desija tenir en aquell llit de parament on ha dormit esta nit, si es vol tota nua o en camisa?" (Ibid.). Y Tirant toma las manos de la In- fanta "e Felip volgué usar de sos remeis."

Fijémonos en esta última frase. No se describe la acción de Felipe, sólo se insinúa. Se deja al lector que contribuya a la escena y aumente el pecado. Por otra parte, una frase así va cargada de ironía socarrona. Esta es la técnica predilecta que Martorell usa.

Puesto que, evidentemente, no podemos fijarnos en cada una de las escenas eróticas del libro, pues sólo queremos poner de manifiesto esta obsesión, tendre- mos que mencionar solamente sus ocurrencias y fijarnos en el lenguaje: en el primer encuentro de Tirant con la Princesa, por razones que Martorell apaña, la Princesa tiene el vestido descuidadamente abierto, mostrando "dues pomes de paradís ...les quals donaren entrada als ulls de Tirant, que d'allí avant no trobaren la porta per on eixir" (Ⅰ, 375).

Efectivamente, así será, pues todos los pensamientos, deseos y obras de Tirant tendrán sólo una meta, que se describe en el capítulo CDXXXV: "Com Tirant vencé la batalla e per forca d'armes entrà lo castell." Pero antes de que esto suceda, Carmesina, lasciva pero virgen, no dejará de excitar al pobre caballero, y hacerlo pasar por fríos y calientes, y calientes y fríos, llenándolo de frustración. A su lado, haciéndole sombra, está la victoria fácil de Hipólito, que pronto se adueña de la vieja Emperatriz, puesto que ésta aguarda impacientemente "entrar en lliça en camp clos ab cavaller jove" (II, 152). Las demandas y amoríos llegan pronto a su zénit, e Hipólito, que no se puede contener, se adueña de la Emperatriz en la terraza misma, sin esperar a entrar en la alcoba: "e pres-la en los braços e posà-la en terra, e aquí sentiren l'última fi d'amor..." (II, 154, cap. CCLXI). Parece ser que la experiencia les encantó, pues "aprés, ab grandíssima letícia, se n'entraren en lo retret" (Ibid.). Toda la noche fue una orgía real. Al día siguiente, la donçella que viene a despertar a la Emperatriz, se halla con el espectáculo de que "véu un home al costat de l'Emperadriu qui tenia lo braç estés, e lo cap del galant sobre lo braç, e la boca en la mamella" (II, 156, cap. CCLXII).

¿Sería posible pedir una descripción más erótica? Con una desenvoltura y desvergüenza realmente admirables.

La suerte de Tirant es más negra: se ha de contestar

con vestir la camisa de la Princesa (I, 422); bordar la zapatilla con que la tocó en el "sancta sanctorum"; comérsela a besos (II, 21); intentar adueñarse, en vano, de ella, una vez en el castillo de Malveí (II, 562), que no le fue demasiado mal, y otra, en Constantinopla, que le fue peor, rompiéndose una pierna y armando un follón en el palacio (caps. CCXXXIII, CCXXXIV), del que se culpa una rata.

Incluso Diafebus tiene mejor suerte, pues la misma noche en que Tirant es vencido por la resistencia de la Princesa, Diafebus triunfa con (II, 163) Estefanía.

Tal vez la figura más graciosa, fresca y vital, es la de Plaerdemavida, que nunca conoció la vergüenza y cuyo lenguaje es de lo más picante que se ha escrito. Esta, que ha escondido a Tirant para que vea a su señora bañándose, manosea a la Princesa por todas partes, mientras dice suspirando:

—A la fe, senyora, si Tirant fos ací, si us tocava ab les sues mans així com jo faç, jo pens que ell ho estimaria més que si el faïen senyor del realme de França.

—No cregues tu això —dix la Princesa—, que més estimaria ell ésser rei que no tocar-me així com tu fas.

—Oh Tirant senyor, e on sou vós ara? Com no sou ací prop perquè poguésseu veure e tocar la cosa que més amau en aquest món ni en l'altre? Mira, senyor Tirant, vet ací los cabells de la senyora Princesa; jo els bese en nom de tu, qui est dels cavallers del món lo millor. Vet ací los ulls e la boca: jo la bese per tu. Vet ací les sues cristallines mamelles, que tinc cascuna en sa ma: bese-les per tu: mira com són poquetes, dures, blanques e llises. Mira, Tirant vet ací lo seu ventre, les cuixes e lo secret. Oh trista de mi, que si home fos, ací folria finir los meus darrer; dies! Oh Tirant, on est tu ara? Per que no véns a mi, puix tan piadosament te cride? Les mans de Tirant són dignes de tocar ací on jo toque, e altri no, car aquest és bocí que no és negú que no se'n volgués ofegar. (II, 98-99), cap. CCXXXI)

La contienda entre lo caballeresco de Tirant y su extrema pasión, nunca satisfecha, continúa a lo largo del libro, cayendo lo artístico del lado vitalista, según expresión de Dámaso Alonso ("*T. lo B.*, novela moderna," p. 185).

B. LO IMPOSIBLE PERO VEROSIMIL: LO HUMO-RISTICO

Se ha hablado mucho de lo paródico en el *Tirant*. Warren,[1] ya citado, afirma que el *Tirant* es una parodia de los libros de caballerías, mientras que Menéndez y Pelayo,[2] cuya opinión también expusimos anteriormente, lo niego. No cree Riquer en tal parodia, y Nicolau d'Olwer ataca con firmeza la opinión de Warren, ya que éste basa su afirmación, "deslumbrado tal vez por los rasgos humorístico, por las pinceladas cómicas que no tardan en aparecer en el *Tirant* y van en progresivo aumento ... Afirmación que parece anacronismo" (d'Olwer, "*T. lo B.: examen*," p. 151). Continúa d'Olwer citando la opinión de

[1] Cf. Warren, *A History of the Novel, op. cit.*, pp. 175 y sigs.
[2] Cf. Menéndez y Pelayo, *Orígenes*, II, 395-402.

Menéndez y Pelayo y defendiendo que la "epidemia literaria y social de los libros de caballerías justifica la 'grande y humana sátira' de Cervantes" (Ibid.). La divulgación de este género en el XVI, a través de la imprenta, justifica las sátiras, anteriores a Cervantes, de Ariosto, y las caricaturas de Rabelais y de Folengo. Sin embargo, Martorell, por los años del 1460 no podía atacar un género que apenas estaba en ciernes. Además, Martorell, que afirma y está orgulloso de ser caballero, arriesgándose al ridículo por mantener en su vida privada los preceptos —d'Olwer usa "perjuicios"— tradicionales de la vida caballeresca, no podía muy bien ridiculizar este género.

Incluso Gutiérrez del Caño,[1] que traza la bibliografia del *Tirant*, exagera y hace una caricatura de éste, enteramente gratuita, al afirmar que casi todos los nombres de los personajes son grotescos, con la consiguiente "hilaridad constante del lector."

Hay, por lo tanto, que encontrar otra solución al hecho evidente que salpica todo el libro: su humorismo. Opina J. Rubió Balaguer[2] que éste proviene de la condición de Martorell de ser un "caballero aburguesado," que desplaza a sus personajes del plano hierático y ceremonial (Corte de Constantinopla; Corte de Sicilia) al ambiente humano, sensual y alegre de la Valencia de su tiempo.[3] Esta misma opinión es

[1] M. Gutiérrez del Caño, "Ensayo bibliográfico del *Tirant lo Blanch*," *RABM*, 37 (1917), 239-69.
[2] J. Rubió Balaguer, "Literatura catalana," en *Historia general de las literaturas hispánicas*, ed. Guillermo Díaz-Plaja (Barcelona: Editorial Barna, 1953), III, 729-930.
[3] Sobre este aspecto, véase el interesante estudio de Fina Querol

compartida por d'Olwer, en el artículo mencionado, añadiendo "que no es una sátira ni una parodia, porque no es un libro de tesis; pero hay en él abundantes rasgos de sátira y de parodia. Rasgos, importa subrayar, que no se contraen, ni mucho menos, a las aventuras caballerescas, sino que se extiende a los más diversos aspectos de la vida social y aun de las creencias..." ("*T. lo B.:* examen," p. 151). Esta opinión es también aceptada por Dámaso Alonso, que ve en Martorell a un contemporáneo, "cansado, y al par burlón."

Nosotros nos inclinamos a seguir la opinión de estos últimos críticos, aunque es conveniente corroborarla.

La parodia παρωδία, es la imitación burlesca de una cosa seria, según la Real Academia y los diccionarios literarios. [1] Esta imitación puede ser tanto de abajo para arriba (cuando un burgués valenciano trata de portarse como el Emperador de Constantinopla), como de arriba para abajo (cuando el Emperador de Constantinopla imita en sus maneras a un valenciano burgués). En la obra de Martorell se da esta segunda, con el consiguiente resultado: el humor. El hecho de que hallemos el elemento paródico aquí y allá no nos

Faus, *La vida valenciana en el siglo XV. Un eco de Jaume Roig* (Valencia: Diputación Provincial, 1963).

[1] Véanse, por ejemplo, el *Diccionario de literatura española* (Madrid: Revista de Occidente, 1949), s. v. "Parodia," p. 462, así como: *Dictionary of World Literature,* ed. por Joseph T. Shipley (Totowa, N. J.: Littlefield, Adams and Company, 1972), s. v. "Parody," p. 298, que la define como "A composition in which the characteristics of manner and spirit of an author or class of authors are imitated so as to make them appear ridiculous."

puede dar pie para afirmar con Warren, que el libro entero sea una parodia. Primero, porque ésta es limitada a ciertas situaciones y lugares y, segundo, porque, por razones obvias —Martorell es un caballero él mismo—, falta el elemento de intencionalidad y de tesis, según d'Olwer (cf. "*T. lo B.:* examen," p. 151).

El elemento paródico y su consiguiente humorismo resulta del hecho de que Martorell nos pone ante los ojos unas escenas llenas de vitalidad y realismo, usando elementos que no se dan en la realidad, puesto que, en nuestro subconsciente, esperamos de una corte bizantina la pomposidad, hieratismo y seriedad que no se da en el *Tirant*. Este conocimiento de lo que la corte bizantina es, o debería ser, choca con la que retrata Martorell y, naturalmente, cuanta más sea la distancia entre la realidad y su imitación, más aumenta la carcajada. [1]

Por razones expuestas anteriormente en nuestro estudio, no podemos negar el realismo de estos pasajes, sino enfocarlos desde el punto de vista de lo imposible (al menos imposibilidad social: la corte bizantina no se puede imaginar así) y verosímil (la corte bizantina se porta efectivamente así, nos entra por los ojos, lo vemos).

Considerado desde este punto de vista —lo imposible hecho verosímil, vitalizado—, el humor no deja de ampararlo todo; nos hallamos con que toda la corte de Constantinopla, del Emperador abajo, se ha aburgue-

[1] Cf. Carlos Bousoño, *Teoría de la expresión poética, op. cit.,* p. 114.

sado, valencianizado. El Emperador se convierte en un "galantuomo," completamente inútil (cf. D. Alonso, "*T. lo B.*, novela modern," p. 190). La Emperatriz, cuyas únicas funciones son vegetales, es otra caricatura. La Princesa, que no deja a Tirant vivir en paz, como una "démi-vièrge" del siglo XIX (Ibid.); Tirant, en que choca el honor y la lujuria, llevándose esta última la mejor parte, contra lo que nos esperaríamos. El ambiente de la corte: el Emperador rodeado de mujeres en camisa a medianoche; Tirant rompiéndose una pierna; la rata rondando el palacio; el cuchicheo y el picarismo erótico de personajes históricamente serios y comedidos, etc.

He aquí algunas escenas paródicas por el lenguaje y la situación:

La noche de las bodas de Estefanía y Diafebus, Plaerdemavida coloca algunos gatos en la habitación de los recién casados (¡en el palacio imperial!). Plaerdemavida llama al Emperador, que está en camisa en la cama y se tiene que vestir apresuradamente. Ambos, la doncella y el Emperador, escuchan por el ojo de la cerradura los sonidos de dentro (¡el Emperador y una doncella, en tal situación y en camisa!). La doncella habla con una desvergüenza y picardía aplastantes: " Na nòvia, com estau vós ara que no cridau ni dieu res? ... dolor que et vinga als talons!, no pots un poc cridar aquell saborós ai? ... Senyal és, com tu calles, que ja t'has enviat lo pinyol ... Mal profit te faça ... Vet ací l'Emperador que t'està escoltant si cridaras..." (II, 69-70, cap. CCXX). El Emperador la dice que calle y que no diga que él está allí: "—A bona fe no faré..." (A todo un Emperador), y la reacción de éste es que "no es podia detenir de riure de les raons saboroses que oïa dir a Plaerdemavida" (II, 70, cap. CCXX).

La Emperatriz que busca al Emperador, no lo halla en su habitación sino escuchando detrás de la puerta de los recién casados, acompañado de cuatro doncellas en camisón. Plaerdemavida le pide a la Emperatriz:

> —Moriu-vos prest, senyora, vejau què m'ha dit lo senyor Emperador, que si no tingués muller que no en pendria altra sinó a mi; e per l'ofensa que vós me féu, moriu-vos prest i molt prest. (Ibid.)

A lo que responde la Emperatriz, diciendo:

> —Ai filla de mal pare! ...(Ibid.)

Y, volviéndose al Emperador:

> I vós, en beneit, ¿per a què voleu altra muller, per dar-li esplanissades e no estocades?... (II, 71)

Tanto los personajes como la situación se han aburguesado, valencianizado, gracias a lo cual, lo que pareciera imposible e impropio, en una corte de Constantinopla, se reviste de carne y hueso ante nuestros ojos, haciéndonos, naturalmente, mondar de risa. El símil y la realidad son tan distantes que, como dice Bousoño, esta distancia es el incentivo de la carcajada. [1] ¿Es esto realismo? De aceptar, como apun-

---

[1] Cf. Bousoño, *Teoría de la expresión poética,* p. 114.

tábamos en la primera parte de este estudio, la noción de realismo que la crítica en general ha venido sosteniendo, diríamos que esto no es realista. Unos personajes tan egregios, con una lengua tan vulgar, y en una situación tan ridícula, es un dato que la realidad no suministra. Sin embargo, ¿qué pasa cuando descubrimos algo nuevo? Nos choca. No lo tenemos registrado entre nuestras experiencias. Es, precisamente, lo que aquí pasa. Recibimos un choque. El realismo de la forma —la verosimilitud— se ha superpuesto a la base realidad. La realidad es imposible o improbable en esta situación, y de eso estamos conscientes; no obstante, el arte es tan convincente que lo que pareciera increíble se reviste de carne y hueso ante nuestros ojos. Y cuanta mayor sea la distancia entre nuestra experiencia (realidad) y la nueva (realismo) mayor es la carcajada.

Otras escenas de este tipo de realismo-humorismo: el revuelo en el palacio la noche que Tirant se rompe una pierna (¡el caballero rompiéndose una pierna!); el palacio se llena de damas semidesnudas y el Emperador, como un fantoche, va armado con su espada buscando ¡una rata! (caps. CCXXXII, CCXXXIV). Los amores de Hipólito y la Emperatriz: aquél no se puede aguantar y la posee en la terraza (¡a la Emperatriz de Constantinopla!). Todo el palacio parece estar lleno de terrazas y de ojos de cerradura (cap. CCLX).

El lenguaje de la corte no puede ser más popular. Frases como: "En beneit," "Ai beneit," "Na beneita"; "Filla de mal pare," "Calla folla"; "Anem que'm refredo ací," y semejantes, afloran constantemente en labios de las doncellas, la Princesa, la Emperatriz, e incluso el Emperador, quien además jura como un carretero: "Per los ossos de mon pare!" (I, 484; II, 95, etc.).

El elemento paródico no se limita a la corte de Constantinopla: un Príncipe de Francia intenta coserse los calzones, mientras la Infanta de Sicilia lo contempla por una rendija (cap. CX); Tirant lucha en paños menores, con guirnaldas de flores en la cabeza y un escudo de papel (cap. LXV; también notado por Warren; [1] y con un perro, en medio de la calle (cap. LXVIII); la Emperatriz explica su oración en la terraza (cap. CCLXII); o la interpretación sacrílega de un salmo: "¿Na sabeu vós, com diu lo psalmista, 'manus autem'? Es la glosa: si adquirir voleu dona o doncella no vullau vergonya ni temor haver" (II, 103). [2]

Son, en fin, muchas las situaciones que suenan paródicas, pero, por razones ya expuestas, sería gratuita y poco científico calificar al *Tirant* de parodia, cuando lo único que hace es vitalizar a estos personajes y revestirlos de la realidad social que rodea a Martorell y a Galba.

[1] Cf. Warren, *A History of the Novel, op. cit.*, p. 305.
[2] El Arcipreste de Hita ya era un experto en estas faenas parodiales; véase su *Libro de buen amor*, ed. J. Cejador y Frauca (Madrid: Espasa-Calpe, 1970), I, 136-148, coplas 372-387; cf., asimismo, Otis H. Green, en su estudio sobre las horas canónicas del Arcipreste, donde, además, discute el origen de este tipo de parodia: "On Juan Ruiz's Parody of the Canonical Hours," *HR*, 26 (1958), 12-34, y Anthony Zahareas, "Parody of the Canonical Hours: Juan Ruiz's Art of Satire," *MPhil*, 62 (1964-65), 105-109.

El humor, por otra parte, no es suministrado solamente en las escenas de tipo paródico, abundantes en las partes centrales de la obra, sino en recursos intencionadamente humorísticos, tales como el uso de la metáfora en las situaciones amorosas y sentimentales, esta analogía, en situaciones tan dispares, choca en forma burlona y humorística; así, cuando Martorell dice de la vieja Emperatriz que "esperava entrar en lliça en camp clòs ab cavaller jove" (II, 152), no puede menos que producir una hilaridad espontánea. Por otra parte, ésta era, según dice Riquer,[1] la forma de hablar entre los caballeros y tema de chistes en las barracas militares. Esta metáfora aflora en la boca de todos los personajes, de la Emperatriz abajo. Frecuente es el uso que de ella hace Plaerdemavida, que lo ve todo bajo este aspecto y pide a Tirant que, dejándose de escrúpulos, "feriu fort dels esperons" (II, 196), cuando lo lleva al cuarto de la Princesa. El capítulo en que Tirant hace finalmente suya a la Princesa, lo titula "Com Tirant vencé la batalla e per força d'armes entrà lo castell" (cap. CDXXXVI).

Es precisamente este humorismo e ironía lo que salva la obra de caer en la más cruda pornografía. La escena de los gatos, antes estudiada, es evidentemente humorística, como lo son todas las estupideces cometidas por Felipe, el Infante francés, en la corte siciliana; como lo es el hecho, más satírico que humorístico, de que Martorell haga colgar a varios abogados (cap. XLI); o la descripción del baño de la viuda, lleno de malicia:

[1]   Cf. el prólogo de Riquer a su *ed. cit.* del *Tirant,* I, 89.

La Viuda se despullà tota nua e restà ab calces vermelles e al cap un capell de lli. En encara que ella tenia molt bella persona e ben disposta, emperò les calces vermelles e lo capell al cap la desfavoria tant que paria que fos un diable, e certament qualsevulla dona o donzella qui en tal so la mireu vos parrà molt lleja per gentil que sia. (II, 99, cap. CCXXXI)

Los nombres de algunos personajes son intencionadamente humorísticos: Kirieleison, Plaerdemavida, Cataquefaràs, Veruntamen, la Viuda Reposada alias Endiablada, etc.

Es innegable la intención humorística, chusca, de Martorell, que añade otro elemento realista a su obra y la llena de una atmósfera de realidad, calificada por Dámaso Alonso de moderna (cf. "T. lo B., novela moderna," p. 179). Riquer resume este realismo en las siguientes palabras:

> Els temes i les idees inversemblants i meravellosos poden ésser objecte de la paròdia, però mai de la ironia ni de l'humor. En canvi, la realitat es presta a ésser presa i vista des del costat pintoresc i divertit. L'humorisme del *Tirant* és un element més del seu realisme; i, recíprocament, l'actitud irònica de Martorell acusa la realitat de molts episodis que no són bel.licosos ni guerrers, en els quals, com hem vist, ateny el realisme mitjançant la precisió de les descripcions i el detallisme dels estratagemes militars. [1]

---

[1] Riquer, prólogo al *Tirant, ed. cit.,* p. 91.

Antes de examinar los pocos elementos inverosímiles de la obra, queremos hacer notar tres que, olvidados por la crítica, apuntan hacia un realismo psicológico dos de ellos, y social el tercero. Nos referimos al caso de la conversión del Rey Escariano, el cual acepta la fe cristiana con todas sus doctrinas y devoción, pero que no transforma la impetuosidad de su raza. No se espera de un Rey cristiano que pierda su paciencia por una insignificancia hasta el punto de matar, en un arrebato, a uno de sus mejores aliados, el Cabdillo (cap. CCCXV). Es, sin embargo, verosímil, si consideramos que el agua del bautismo no transforma el carácter, ni la impetuosidad, que pronto aparece, de Escariano, sino que sólo cubre la superficie, y ésta, a nuestro parecer, sería la idea de Martorell cuando poco después de convertir al Rey le hace portarse de una forma bárbara y alejada de la devoción que antes mostrara.

Martorell conoce bien la vida de San Cristóbal; no obstante, los árabes, no familiarizados con el cristianismo, no podían describirlo más que en sus propios términos, pues hablando de Tirant, el cual les ha infligido tantas derrotas, dicen que éste es un traidor "que va capitanejant, e les armes que porta e sobrevesta és de domàs verd ab tres esteles en cascuna part, e a la un costat són d'or e l'altre d'argent, e porta lo seu mafomet al coll, d'or, ab gran barba e un petit infant qui porta al coll e passa un riu, e jo crec que aquell xiquet deu ésser fill del seu mafomet; e per ço aquell li deu dar ajuda en les batalles" (II, 320, cap. CCCXXXIV). Martorell se ha cuidado bien de hacer estas observaciones con ojos moros.

Estos son dos ejemplos solamente de cierto realismo que apunta hacia el conocimiento psicológico de los personajes. En realidad, estos ejemplos no es lo único de psicológico en la obra, pues en muchas ocasiones la forma en que los moros actúan y ven a los cristianos es marcadamente árabe. El duque de Macedonia es otro personaje bien conseguido por Martorell.

No podemos afirmar, sin embargo, que los personajes de Martorell, los cuales se van haciendo a través de la obra, tengan la profundidad psicológica de otros de su tiempo, tales como los del *Corbacho* o *La Celestina;* pero lo que en Martorell carece de profundidad, abunda en perspectiva y vitalismo. Como afirma D. Alonso (*"T. lo B.,* novela moderna,"* p. 192 et passim), lo extraordinario de Martorell es que al no seguir lo típico, crea lo moderno.

El tercer caso, es el hecho de que el autor ha revestido y configurado el ambiente bizantino, con una discusión también bizantina, la cual tiene lugar aquí y no en otro sitio de la obra. Son los capítulos dedicados al valor y la sabiduría (caps. CLXXX-CLXXXVI), con la solemne sentencia dictada por el Emperador, sobre el asunto, en el cap. CLXXXVI. No podía Martorell olvidar que Bizancio se ha de adornar con una discusión bizantina.

C. LO INVEROSIMIL

También existe en el *Tirant,* aunque no exagerado, excepto en tres ocasiones. El elemento inverosímil, más que basado en situaciones fantásticas, se apoya en la falta de elementos racionales.

Al llegar aquí, es necesario, para guardar la equidad debida, notar la dualidad de autores, de suerte que no tachemos a Martorell de algo que no se le debe imputar a él, sino a las manos interpoladoras de Galba. [1]

Muchas son las opiniones sobre dónde empiezan, continúan y acaban las interferencias de Galba. Dejando algunas de ellas de lado —la mayoría de los críticos indican el capítulo CCCXIX como el principio de estas interferencias, por desaparecer los refranes y aparecer una lengua al estilo de la "valenciana prosa"— nos fijaremos solamente, siguiendo la opinión de Corominas, en aquellos detalles que indican a las claras las interferencias de aquél.

1) Desde el capítulo CCCXIX en adelante, desaparecen los refranes y las frases sagradas de Martorell, tales como "feu principi a paraules de semblant estil," o "parlà en estil de semblants paraules." Sólo aparecen de nuevo en los capítulos CCCXXXII, CCCXXXVI, CCCLXX y CCCLXXVIII, en variantes como "en semblant estil no tardà respondre," "no tardà fer-li

1 Sobre la vida de Galba y su interferencia en Martorell, del que se tienen pocos detalles, cf. M. de Riquer, "Pròleg" al *Tirant, ed. cit.*; Vaeth, *Tirant. A Study, op. cit.*; N. d'Olwer, "*T. lo B.*: examen," *op. cit.*; Montoliu, *Poesia i novel.lística, op. cit.*; los dos artículos ya citados de Entwistle, y el estudio de Joan Corominas, "Sobre l'estil i manera de Martí Joan de Galba i el de Joanot Martorell," en *Homenatge a Carles Riba en complir seixanta anys* (Barcelona: Janès, 1954), pp. 168-184.

semblant rèplica," "de semblants paraules le féu present."

2) La cuarta parte, que se atribuye a Galba, empieza en el capítulo CCXCIX, y es de Galba la preocupación de explicar que gentes de lenguas diferentes se entiendan, como lo es el uso de la versificación, usada como elemento retórico.

3) En la cuarta parte, empieza a aumentar la retórica empalagosa que moderadamente se percibía en Martorell. Aquí aumentan los grandes parlamentos, en detrimento de la acción. El estilo se caracteriza por un uso y abuso extremo del epíteto, antepuesto al nombre (caps. CDXVII, CCCXXXII, CCCLXIX, CDXLIII). La redundancia de adjetivos o epítetos, como por ejemplo, en el capítulo CDXXX en que, en catorce líneas, usa una infinidad de ellos: "lo virtuós," "insigne," "benaventurada," "grandíssima," etc.; o "ab triunfant victòria," "dolorosa lamentació," "virtuoses... virtuosament," "la promesa fe," "les sensibles passions"; o los adjetivos consecutivos: "ab multiplicades virtuoses obres." El verbo en hipérbaton, moderadamente usado por Martorell, para indicar la elegancia del personaje, se convierte en un abuso empalagoso con Galba, aun en las descripciones más simples, como en el capítulo CCCXXIV, en que hay quince hipérbatons en quince líneas. "D'una manera general Galba es caracteritza pel llenguatge redundant, enfàtic, farragós i feixugament declamatori." [1] Sólo para preguntar, dice la Princesa: "En especial la Princesa demanà a Tirant 'si sabia ni sentia certenitat alguna de' la vinguda de la

---

[1] Corominas, "Sobre l'estil," *op. cit.,* p. 174.

reina" (II, 496, cap. CDXLII).

4) Galba es más erudito que Martorell y, junto con una abundancia de citas en latín, aparecen monólogos y parlamentos interminables, llenos de saber clásico y de jargón escolástico, como "heretica previtat, estendre sobre tu lo manto de la mia ira," etc. (caps. CCCIX, CCCLIII, CCCLXXIV, CCCLXXV, CDIII, CDLXXVIII).

5) Acorta sus capítulos para que el impresor note que ha escrito muchos.

6) La ligereza y desvoltura del lenguaje desaparecen con Galba, y sólo vuelven a aparecer en los capítulos CDXXXIV al CDVIII, en que Tirant triunfa de la Princesa, escritos por Martorell.

Sin embargo, hay otros indicios más drásticos que el lenguaje mismo: la transformación que sufren los personajes. Plaerdemavida, la criatura vital de Martorell, se convierte, en Africa, en algo pedante y empalagoso en sus parlamentos, en las pocas ocasiones en que aparece (caps. CCCLI-CCCLXXXIII). Vuelve a cobrar vida en los capítulos ya mencionados de Martorell; se olvida de su Hipólito para casarse con el señor de Agramunt. Tanto Tirant como Carmesina aparecen muy elocuentes en mitología con Galba. A Galba también se le ocurren los juegos carnales de Hipólito y la Emperatriz, ante los cuerpos presentes del Emperador, Tirant y Carmesina, convirtiendo a Hipólito en un bastarde desagradecido que se alegra de la muerte de Tirant. Las ceremonias cobran más pompa y el Emperador deja de besar en la boca varias veces (?). La conversión "in extremis" de Carmesina es ridícula, como es el hecho de tumbarse entre los cadáveres del Emperador y Tirant.

Otro aspecto que hemos apuntado es la precisión geográfica.

Ahora bien, a diferencia de Martorell, que odia lo fantástico, introduce Galba los pocos elementos inverosímiles de la obra: el hecho de que Carmesina y Maragdina (ambas enamoradas de Tirant) se gusten; los bautizos en masa del norte de Africa; el que Tirant, el cual añora tanto a Carmesina, tarde mucho tiempo en volver, sabiendo el inminente peligro en que está el imperio griego; el milagro de distinguir entre los muertos a moros y cristianos (cap. CCCXL); la interpolación de la maravillosa aventura de Espercius (caps. CDXCDXIII); el que el caudillo moro compare el cuerpo de Tirant al de San Sebastián (II, 252). La suerte misma de Tirant en Africa, y el hecho de que Tirant empieza a mostrar una fuerza física más increíble que la demostrada en la primera parte. También hay que incluir el episodio del Rey Arturo en Constantinopla (II, 362).

Martorell, en contadísimos casos, introduce algunos elementos inverosímiles, tales como el ciervo de tiempos de Julio César.

Obviamente, el valenciano Martorell creó una técnica novelística, que por su precocidad tuvo que esperar bastantes años para recibir el reconocimiento que merecía. Una técnica que hace de Martorell un espécimen raro en su tiempo, que no la entendió muy bien, y que se anticipó a la creación de la novela moderna. Tal como Dámaso Alonso ve a Martorell, así lo podemos nosotros percibir: como un contemporáneo desplazado en el tiempo. Sólo una persona, un siglo más tarde, comprendió, con una admiración entusiasta y sincera, la increíble técnica de Martorell: Cervantes. ¿Fue sólo admiración o algo más? ¿Tal vez influencia?

III.

LA OBRA DE CERVANTES Y LA DE MARTORELL

Aunque se han hecho algunos estudios sobre las posibles influencias de Martorell en Cervantes, son éstos muy sucintos y esquemáticos. La razón principal del estado en que se halla la crítica a este respecto, es que no hay, a excepción del conocimiento expreso que Cervantes tiene del *Tirant,* ninguna indicación concreta que aluda a las influencias directas de Martorell. Nos hallamos, una vez más, en el campo de las conjeturas, en el cual es tan fácil errar como acertar, y en el que no es científico ni prudente hacer afirmaciones categóricas, basadas más en concordancias o coincidencias que en influencias reales, las cuales no se pueden probar.

El punto de arranque en este estudio y en las posibles hipótesis que se induzcan de él, nos lo da Cervantes mismo, que en el capítulo VI del *Quijote,* primera parte, en el escrutinio de la librería de su hidalgo, pone en boca del cura el juicio de Cervantes sobre el *Tirant,* en estos términos:

—¡Válame Dios! —dijo el cura, dando una gran voz— ¡Que aquí esté Tirante el Blanco! Dádmele acá, compadre; que hago cuenta que he hallado en él un tesoro de contento y una mina de pasatiempos. Aquí está don Quirieleisón de Montalbán, valeroso caballero, y su hermano Tomás de Montalbán, y el caballero Fonseca, con la batalla que el valiente de Tirante hizo con el alano, y las agudezas de la doncella Placerdemivida, con los amores y embustes de la viuda Reposada, y la señora Emperatriz, enamorada de Hipólito su escudero. Dígoos verdad, señor compadre, que, por su estilo, es éste el mejor libro del mundo; aquí comen los caballeros, y duermen, y mueren en sus camas, y hacen testamento antes de su muerte, con otras cosas de que todos los demás libros deste género carecen. Con todo eso, os digo que merecía el que lo compuso, pues no hizo tantas necedades de industria, que le echaran a galeras por todos los días de su vida. Llevadle a casa y leedle, y veréis que es verdad cuanto dél os he dicho.[1]

Este juicio de Cervantes, tan entusiasta como paradójico por la sentencia dictada contra el autor del *Tirant*, ha sido calificada por Clemencín, en su edición de 1833, como "el pasaje más oscuro del *Quijote*." Y la razón es obvia. Efectivamente, el lector no se espera tal sentencia contra el autor de un libro que, por el tono del lenguaje en que es criticado, entusiasma a Cervantes hasta el punto de recomendar: "Llevadle a casa y leedle, y veréis que es verdad cuanto dél os he dicho," cosa que no hace con los otros libros perdonados.

A. "EL PASAJE MAS OSCURO DEL *QUIJOTE*"

[1] Según la *ed. cit.* de F. Rodríguez Marín, *Don Quijote de la Mancha*, I, 204-206.

J. A. Vaeth, en su estudio de 1918, ya mencionado, sobre *Tirant lo Blanc,* y más tarde, en 1935, H. H. Arnold,[1] tratan de resolver el problema cambiando la coma ("de industria,") en un in.errogante ("de industria?"), lo cual haría la frase interrogativa y resolvería el problema.

En 1922, Bernardo Sanvisanti[2] no ve ninguna dificultad y ofrece su interpretación: puesto que el autor o autores del *Tirant* escribieron tantas sandeces sin intención alguna (satírica, paródica), merecen la sentencia que Cervantes les impone.

R. Mendizábal[3] ofrece otra interpretación en 1925: puesto que estas necedades están escritas sin intención alguna, lo cual, si fuese premeditado, sería digno de muerte, merecen sólo las galeras.

Las interpretaciones, todas insatisfactorias, continúan apareciendo. En 1943, y más tarde en 1950, en su edición del *Quijote,* en Barcelona, Martín de Riquer [4] insiste en otra solución: ha hallado éste que en ciertos pasajes del *Quijote* de Avellaneda, "echar a galeras" es usado con el significado de "imprimir." Sin embargo, esta solución no es lógica ni explicaría la

---

[1] H. H. Arnold, "The most difficult passage of Don Quijote," *MLN,* 50 (1935), 182-85.
[2] B. Sanvisanti, "Il passo piu oscuro del Chisciotte," *RFE,* IX (1922), 58-62.
[3] Rufo Mendizábal, "Más notas para el *Quijote," RFE,* XII (1925), 180-84.
[4] M. de Riquer, "'Echar a galeras' y el pasaje más oscuro del *Quijote," BRAE,* XXVII (1943), 82-86. Cf., asimismo, su ed. de 1950.

frase adversativa "con todo eso..." Por otra parte, Montoliu, [1] en 1949, refuta la opinión de Riquer, sin ofrecer, sin embargo, ninguna nueva.

Dos años antes, en 1947, Rodríguez Marín, [2] en su edición y notas del Quijote, declara que las necedades de que se habla se refieren a las escenas eróticas del *Tirant*, las cuales, al no ser esenciales a la trama, condenan al autor.

Maldonado de Guevara, [3] en 1951 y más tarde en 1954, basado en la etimología y semántica del vocablo "industria" (INTUS STRUO — maquinar en el fuero interno), interpreta esta palabra con el significado de "malicia, ardid, dolo," es decir "maquinación premeditada." Según esto, Cervantes condena al autor, no porque escribió necedades (principalmente las escenas eróticas), sino porque no las escribió "de industria," es decir, no las escribió con "celada malicia," sino que las escribió cándidamente para que todos las pudiesen ver. Apoya esta interpretación del vocablo en haber hallado en el *Viaje al Parnaso*, cap. VII, esta frase: "sin industria y arte"; se fija asimismo en el uso que Basilio hace de ella en el capítulo de las bodas de Camacho, en que aquél se burla de todos con un ardid. La concurrencia exclama: "milagro, milagro," a lo que Basilio replica: "No milagro, milagro, sino industria, industria."

---

[1] M. de Montoliu, "El juicio de Cervantes sobre el *Tirant lo BLanch*," *BRAE*, XXIX (1949), 263-77.

[2] F. Rodríguez Marín, *Don Quijote*, XI, 179-87.

[3] F. Maldonado de Guevara, "El dolo como potencia estética," *Anales Cervantinos*, I (1951), 133-57.

Es este el primer crítico, que sepamos, que basa su hipótesis en una nueva interpretación semántica del vocablo "industria." Con todo, las opiniones siguen: En 1953 y más tarde en 1967, Margaret Bates [1] defiende la opinión de Sanvisanti y basa esta defensa en la tradición literaria aristotélica, que Cervantes, según Bates, sigue. De acuerdo con esta tradición el error en la obra de arte, al contrario de lo que pasa con la virtud de la prudencia, si es premeditado es meritorio y laudable, y merece reproche si no lo es.

En fin, la lista es tan larga como dispares son las opiniones. No hemos mencionado a todos los críticos, sino sólo aquéllos que ofrecen más sólidos argumentos. No obstante, este pasaje, a pesar de todas las interpretaciones ofrecidas, continúa siendo, según la expresión de Clemencín, "el pasaje más oscuro del *Quijote*."

La cuestión o cuestiones que se nos plantean son las siguientes: ¿En qué términos y con qué sinceridad alaba Cervantes al *Tirant*? ¿Por qué se condena a su autor, si es que, efectivamente, se le condena? Y cabe otra más: Suponiendo que Cervantes fuese sincero en su sentencia contra el autor, ¿no sería posible que Cervantes hubiese cometido un error al no ver la intencionalidad del *Tirant*? Es decir, ¿corre a lo largo del *Tirant* una vena satírica, sutil, que Cervantes no vio, o es sólo un humorismo burgués sin intención satírica alguna? Todas estas cuestiones son difíciles de resolver. No obstante, puesto que tantas son las hipótesis

[1] Margaret Bates, "Cervantes' Criticism of 'Tirant lo Blanch,'" *HR*, XXI (1953), 142-44; y "Cervantes and Martorell," *HR*, XXXV (1967), 365-66.

adelantadas, intentaremos ofrecer algunas más.

En el escrutinio de la librería de su hidalgo, Cervantes, a través del cura y el barbero, pasa revista y dicta sentencia contra casi todos los libros de caballerías, los cuales, salvo rarísimas excepciones, acaban en el fuego purgativa.

Las excepciones son: el *Amadís, El espejo de caballerías, Palmerín de Inglaterra, Don Belianís, Tirante el Blanco, La Diana* de Montemayor y la *Diana* de Gil Polo; los *Diez libros de fortuna de amor* (Antonio de Leofraso), el *Pastor de Fílida; Tesoro de varias poesías,* el *Cancionero* de López Maldonado, *La Galatea* (Cervantes), *La Araucana, La Austríada,* el *Monserrate* y *Las lágrimas de Angélica.*

Algunos son alabados sobria y categóricamente. Otros son perdonados bajo condición de ciertas revisiones. Sin embargo, el lector de este capítulo del *Quijote* nota en seguida que la crítica al *Tirante* es completamente diferente de la del resto de los libros perdonados. Está preñada de un imponderable: humorismo. No es una alabanza sobria e impersonal de Cervantes, sino muy personal, humorista y entusiasta. Ese entusiasmo se demuestra no sólo en las frases de categórica alabanza, sino en la revisión que, en pocas líneas, hace Cervantes de todos los elementos, tanto humorísticos como realistas, que convierten al libro no sólo en "el mejor libro del mundo," sino que hacen de él "un tesoro de contento y una mina de pasatiempos." Más aún, habiendo los libros de caballerías aguado los sesos de su héroe, Cervantes pasá escrutinio a la librería para echar a las llamas purgativas a los causantes de la locura de Don Quijote. Al coger una brazada para echarla al fuego, cae al suelo un libro que recoge el barbero y cuyo título lee sin conocerlo. No así el cura, que al oír *Tirante el Blanco* exclama: "—¡Váleme Dios!— ...¡Que aquí esté *Tirante el Blanco*!"

Nótese la introducción llena de admiración. Obviamente se infiere que el cura está sorprendido de hallar tal libro allí. Dos conclusiones se pueden deducir: Que *Tirante el Blanco* no era un libro bien divulgado, o no tan divulgado como el resto de su género —lo cual bien podría ser, considerada la limitada edición que de él se hizo en castellano en 1513—, o bien que este libro era tan distinto del género que aguó los sesos de Don Quijote, que le parece imposible a Cervantes que su héroe conociese el *Tirante*.

Si consideramos la castísima actitud de Don Quijote con las damas, en especial Altisidora y Maritornes, y su fantasía desbordante, entonces el *Tirante* es el libro menos esperable en su biblioteca. Otra opinión más ecléctica es que *Tirante el Blanco* era más difícil de conseguir —sobre todo en el retirado lugarejo manchego— y, por lo tanto, hace más patente la locura del hidalgo y que no pertenecía al género de caballerías esperables en la biblioteca de Don Quijote.

Este último punto queda confirmado en el examen que se sigue, no lleno de vituperios, sino de un humorismo chusco e irónico. Esta sorpresa de hallar tal libro allí se manifiesta en el uso del subjuntivo, "que aquí esté..."

El lector reflexivo del *Quijote* deducirá de esta introducción a la crítica del *Tirante*, que Cervantes tiene una idea de esta obra muy diferente a la del resto de las otras obras criticadas. Da la impresión de que el autor del *Quijote* insertó a propósito la crítica de este libro para que el contraste con los demás libros de su loco hidalgo sea más patente, y salgan, por consiguiente, a relucir las cualidades únicas de nuestra obra.

¿Cuáles son estas cualidades? Algunas necedades y muchos aciertos. Los aciertos colocan la obra en una categoría muy diferente y admirable. Las necedades, no "de industria," condenan al autor.

Nos enfrentamos aquí con un vocablo ("necedades") y una expresión ("de industria"). ¿A qué necedades se está refiriendo Cervantes? ¿Es posible que, hipotéticamente, se refiera a las mentiras, a la fantasía desbordante que pueblan los otros libros de caballerías, de actos inverosímiles, que Cervantes tanto detesta? Si eso fuese posible, nos hallaríamos con que la condenación del autor del *Tirante*, es una ironía, una sentencia indirecta contra los otros autores, y no contra nuestro autor. Toda la crítica del *Tirant*, dijimos antes, está llena de ironía y humorismo. Es obviamente irónico que los caballeros en esta novela coman y duerman en sus camas y hagan testamento antes de su muerte, algo tan dispar a los otros libros ya ardiendo en el fuego. Puesto que la crítica del *Tirante* está llena de humor e ironía contra los demás libros, ¿no podría ser que la condenación de su autor fuese también irónica? La interpretación en este caso, sería: "Con todo os digo que merecía el que lo compuso 'pues a propósito no ha hecho tantas necedades como los demás,' que le echaran a galeras por

136

todos los días de su vida." En esta hipótesis, si las necedades son las de los otros libros, y la sentencia es ·contra el autor o autores de necedades, se está condenando, indirecta e irónicamente, a los otros autores en la persona de nuestro autor que es inocente de ellas. Es como decir a una persona necia: "¡Qué listo eres, hombre!" e inmediatamente tachar a una persona inteligente de su necedad. Esto, según Bousoño, [1] es ironía indirecta. Cervantes mismo la usa a lo largo del *Quijote.* La Condesa, al contrario de lo que afirma su amo, califica las simplerías de Sancho de "discreciones," cosa que deja a Sancho muy ufano y con más ansias de hablar que antes (Parte II, cap. XXI).

Esta hipótesis sería la solución perfecta a un problema que de otra forma no parece tener solución. De acuerdo con ésta, no sólo se alaba el libro, lo cual es explícito y sin paliativos, sino también al autor, porque efectivamente, resulta desconcertante la sentencia contra el autor, mientras se alaba al libro tan entusiásticamente. No es ésta la única alabanza del *Tirant,* pues de nuevo la volvemos a hallar en el capítulo XIII, de la primera parte: "...y el nunca como se debe alabado Tirante el Blanco."

Ahora bien, suponiendo que Cervantes se refiera a las necedades encerradas en el *Tirant,* lo cual echaría por tierra la hipótesis antes apuntada, ¿a qué necedades se refiere? No ciertamente al aspecto realista de la obra, que, comparado con los excesos de fantasía de los otros libros de caballerías lo hacen sonar paródico —efecto, por otro camino, también pretendido por

---

[1] Cf. Bousoño, *Teoría de la expresión poética,* p. 220.

Cervantes, el cual es explícito en su propósito—, sino que creemos que se refiere al aspecto erótico, el cual, Cervantes, un hombre de la Contrarreforma, del barroco, y de las doctrinas tridentinas, no puede aceptar seria o moralmente. Y, aunque lo aceptase, no podía entender que se escribiese con tanta desvergüenza, es decir, según la interpretación de Maldonado, antes apuntada, que no se escribiesen "de industria," o sea, veladamente.

Queda aún otra hipótesis no mencionada: Cervantes, que de acuerdo con Sanvisanti y Bates, condena al autor del *Tirant* por escribir tantas necedades sin propósito alguno, erró al no ver que la obra tiene intencionalidad. Una intencionalidad que él, al escribir el *Quijote,* tiene que declarar expresamente (ataque a los libros de caballerías), tal vez por necesidades sociales de su tiempo, como la Inquisición, el *Indice de Libros Prohibidos,* la Contrarreforma y otras exigencias sociales que no existían ni vigían en el tiempo o en la tierra de Martorell, el cual pudo ser tan irónico y satírico como Cervantes sin necesidad de declarar o encubrir su propósito.

Que Martorell escribiese su obra con propósito paródico, es inaceptable. Es verdad, sin embargo, que el caballero de Martorell y el caballero de las novelas que tanto injuriaron a Cervantes por sus extraordinarias necedades, son iguales. El caballero de Martorell podía muy bien haber sido uno de los contemporáneos del autor. Y, a pesar de su ficticio origen bretón, es un valenciano inteligente, atrevido, generoso y adornado de apetitos carnales, en nada diferentes a los de cualquier otro valenciano del tiempo. De haber sido creado por Cervantes, eso, en sí mismo, ya sería parodia del otro caballero, del irreal, del libresco; pero al serlo de Martorell, que se ufana de ser él mismo un caballero, deja de serlo para convertirse en un retrato humorístico.

Ahora bien, el hecho de que no se pueda probar un propósito paródico en el *Tirant*, no es indicio de que el libro entero esté escrito sin otra intención más que la de entretener. Es evidente que el valenciano Martorell, con el odio bien marcado que se respira en su obra contra los genoveses, está revitalizando las glorias mediterráneas catalanas, lo cual ya es un propósito en sí mismo, aunque no sea paródico. Junto a esto hay una marcada sátira contra los abogados, muchos de los cuales son ahorcados en su libro. En el mundo de apariencias de las cortes (sobre todo Castilla y Aragón), ¿no es posible que la actitud, un tanto vulgar, de Tirant, sea una sátira contra las sutilezas de los caballeros cortesanos de su tiempo? ¿o que la ineptitud de los gobernantes de Constantinopla, con todo el ambiente que se retrata en la obra de Martorell, no sea otra sátira? Recordemos que en la vida de los Martorell hay un montón de agravios sin reparar: la violación de Damiata, la hermana mayor; el casi legal robo de algunos caseríos de los Martorell por Gonzalbo de Híjar, comendador de Montalbán, el cual se niega a aceptar batalla con Joanot, o la continúa prolongando con retórica pedante, y el fallo de los príncipes de la corte de Aragón en vindicarles (cf. M. de Riquer, *Història*, II, 633-46).

¿No es asimismo posible que la Viuda Reposada sea otra sátira contra cierta clase de damas solteronas, maliciosas o devotas de su tiempo? Resulta curioso que al mismo tiempo que Ausias March escribía la poesía más filosófica y de amores más platónicos y herméticos, Martorell, su cuñado, fuera el polo opuesto.

Es difícil y hasta parece increíble, que todo ese humorismo del libro esté escrito sin un propósito de sátira e ironía, cuando en su vida privada tenían tanto que resentir los Martorell contra la nobleza de entonces.

Cervantes declara sin preámbulos que su obra, *Don Quijote*, es un ataque a los libros de caballerías; declaración que se va repitiendo. Pero bajo este pretexto, ¿cuántas cosas más no se atacan en su libro? Más aún, ¿no sería posible que el ataque a los libros de caballerías no fuese más que un pretexto y un escudo de salvaguardia para otros ataques velados que de tanto en tanto se hallan en el *Quijote*?

En un artículo publicado en *Anales cervantinos,* F. S. Escribano[1] estudia este punto y nota todo el espectro del ataque cervantino que va dirigido contra la injusticia social (Parte II, cap. XVIII; Parte I, cap. XXXVI); el afán de riquezas (Parte I, cap. XV); la pereza y la ociosidad (Parte I, cap. XIV); la maldad, los embustes, la bellaquería (Parte II, cap. XI); se ataca al caballero y al cortesano actual, llenos de encajes y damascos (Parte II, cap. I); contra la nobleza que no sabe mantener el ideal monárquico (Parte II, caps. XXIV, XLVIII, VI); se ataca a los arrendatarios

---

[1] Cf. F. S. Escribano, "El sentido cervantino del ataque contra los libros de caballerías," *Anales cervantinos,* V (1955), 19-40.

de tierras (Parte II, cap. XII); el regalo y la vida ociosa, la falta de justicia, el maltrato de los esclavos, la falsa grandeza, la torpe lisonja, la pedante cortesía, la excesiva gala en el vestir, etc. Se señala asimismo cómo se ha de portar el señor para con sus criados (Parte II, cap. XX) y nos da dos ejemplos en el Caballero del Verde Gabán y los Duques. La sátira contra la aristocracia decadente va acompañada de otra no menos severa contra el mal gobierno y los malos gobernantes (Parte II, cpa. I); el episodio de la Insula Barataria, con los consejos de Don Quijote a Sancho (Parte II, caps. XLII, XLIII), y "Las Constituciones del Gran Gobernador Sancho Panza" (Parte II, cap. XX), son otros ejemplos del verdadero sentido del ataque cervantino. De hecho, la segunda parte del *Quijote* es un doctrinal de gobernantes embutido en la novela" (Escribano, Ibid., p. 37), dedicado ex profeso al gobierno de Sancho con las observaciones que se hacen antes, durante, y después del gobierno. A veces la ironía se vuelve en sarcasmo: "yo he visto ir más de dos asnos a los gobiernos, y que llevase yo el mío no sería cosa nueva" (Parte II, cap. XXXIV). La sátira se vuelve generalización como en "con dificultad se halla un buen gobernador en el mundo" (Parte II, cap. L).

¿De qué se acusa al mal gobierno? De malversación de fondos y saqueo al fisco (Parte II, cap. XL et passim); la vida regalada de gobernantes, el abuso de decretar pragmáticas y su poca eficacia, el cohecho, la confusión en los altos cargos, los gobernantes farsantes, los muchos memoriales, la verdad que no llega a los oídos de los gobernantes, etc. Contra todos estos abusos se levantan los consejos de Don Quijote a Sancho. Es decir, que "la sátira cervantina gira en su totalidad en

141

torno a la hipocresía" (Escribano, *art. cit.*, p. 39).

Esta sátira, este sarcasmo con que se atacan los pecados de la nobleza y de las clases altas está como velada por las locuras de Don Quijote y la reiterada confesión del autor de acabar con los libros de caballerías. Cervantes, dada las circunstancias sociales, tiene que usar de este subtergufio, pero ¿cuál fue realmente el propósito del autor al crear el *Don Quijote*?

Dado que el proceder realista del *Tirant* está tan distante del mundo de caballerías libresco, como el proceder loco de Don Quijote lo está del mundo real, todo lo que el *Tirant* necesitaba para convertirse en parodia era una declaración de intencionalidad por parte del autor, el cual no lo podía hacer por ser él mismo un caballero, por no existir aún la plaga de los libros que Cervantes declara atacar y por no vivir en el mundo peligroso y estricto de la Contrarreforma en que vive y se mueve Cervantes. Puesto en otras palabras: si hay intención satírica en todo el realismo y humorismo del *Tirant,* el autor no vive en unas circunstancias sociales tan estrictas que lo obliguen a encubrirla, a velarla con un pretexto como el de Cervantes.

Cervantes, el hidalgo venido a menos, echado en la cárcel por un tiempo, conocido de la Inquisición y de "cristianísima" moral, tenía cierta necesidad de satirizar los entuertos de su tiempo, pero con la prudencia que las circunstancias, bien distintas a las de Martorell, pedían. De ahí que su pretexto de acabar con los libros de caballerías, con el consiguiente humorismo de los paradójicos personajes que crea, ·Don Quijote y

Sancho, velen en gran manera su verdadera sátira social.

Una cosa resulta chocante en el libro de Martorell: el proceder un tanto amoral de sus personajes. ¿Hay sátira? Martorell, un hombre del siglo XV, vive en una época en que la caballería, con todas sus batallas a ultranza, sus galanterías, sus amores discretos y sus pedanterías, no es algo libresco, sino real.[1]

De tiempos de Martorell es el *Passo honroso*, de Suero de Quiñones, en que caballeros errantes, tanto catalanes, valencianos, aragoneses, como castellanos luchan brillantemente. Dentro los catalanes hay muchos personajes bien conocidos: Francís Desvalls, Ponç de Perelló, Pere de Cervelló, Joan de Boixadors; el valenciano Felip Boyl, Guerau Desplà, Bernat de Cabrera, Pere y Joan Fabra (al que Jaume Roig dedica el *Spill*); caballeros castellanos son Suero de Quiñones, Diego de Bazán, Lope de Stúñiga, Pero Niño, Mossén Diego de Valera (el Cronista de los Reyes Católicos); entre los extranjeros que viajan a España se encuentran Jacques de Lalaing, que combatió en Valladolid en 1448 con Diego de Guzmán, Heinrich von Schonwald, Jean de Werchin, Senescal de Hainaut.[2]

Cada una de estas batallas a toda ultranza, pasos y torneos, están estrictamente regulados y la influencia de la *Vulgata* o cuerpo de hazañas caballerescas bretón, ejerce una influencia tan grande que se da la

[1] Véase la obra ya citada de Martí de Riquer, *Cavalleria fra realtá.*
[2] Cf. Riquer, *Història*, II, 582.

simbiosis realidad-fantasía, fantasía-realidad, de que hablamos antes. Es precisamente en este tiempo en que el espíritu caballeresco está tan a lo vivo que Martorell escribe su libro, en que los personajes se comportan de una forma ligera, humorística, amoral y a veces erótica, contra el código de etiquetas, lindeces y galanterías vigentes entre las damas y los caballeros. ¿Se está el autor riendo de los caballeros pedantes y fanfarrones, de la etiqueta y galantería de las damas, a las que está poniendo al desnudo, es decir, tal como efectivamente son y no como aparecen? ¿No se estaría Martorell —que falla en hacer entrar en liza a sus contrincantes Joan de Monpalau y Gonzalbo de Montalbán— riendo de todos ellos al despojarlos de sus apariencias y presentarlos tal como son? Si efectivamente eran así en sus vidas privadas, Martorell escribe una sátira contra ellos, y si no lo eran, los está caricaturizando. De todas maneras, considerando la época y las circunstancias sociales en que Martorell escribe resulta chocante y hasta atrevido la forma en que presenta a sus personajes, dada la vigencia del mundo caballeresco.

Lo que queremos decir es que, si no hay parodia contra la caballería como tal, por no ser aún una peste libresca, y por ser el autor mismo un caballero, sí es muy posible que haya mucha malicia e ironía contra los caballeros y el mundo de su tiempo.

Resulta claro que uno no se arriesga a ridiculizar el mundo en que vive a menos que con ello se quiera zaherir, ironizar o dirigir una sátira contra el elemento social, sus costumbres, sus hipocresías y sus entuertos. Y es eso precisamente lo que Martorell, declárelo o no, hace al pintar una corte como la de Constantinopla, unos personajes tan altos y al mismo tiempo tan plebeyos en sus modales e inútiles como el Emperador, la Emperatriz, la Princesa, algunos caballeros y las damas de la corte. Tampoco resultaría placentero a los abogados de su tiempo el verse ahorcados ignominiosamente en la novela de Martorell. Es muy posible que Martorell, al crear la figura severa, lasciva y maliciosa, de la Viuda Reposada, tuviese en cuenta las muchas amas en las casas de los grandes señores. A Sancho Panza tampoco le hacían ninguna gracia las tales damas, como se desprende de la sátira que les dirige en la corte de los Duques.

En fin, parece indudable, a todas luces, que la novela de Martorell, llena de gracia y humorismo, está al mismo tiempo impregnada de ironía, pero que al no ser declarada por su autor se le escaparía a Cervantes. Pero de todas formas, se le escapase o no, el hecho palpable es que esta novela resulta algo diferente, excitante e inusitado a los ojos de Cervantes. ¿Hasta qué punto le influenció?

B. ¿INFLUYE MARTORELL EN CERVANTES?

A lo largo de los siglos XV y XVI, y siguiendo la pauta del *Amadís,* se puebla la Península Ibérica de un atajo de libros de caballerías cuyos héroes son de lo más exótico, fantástico e inverosímil que entonces existía, y su influencia en los señores, los cortesanos y la alta sociedad en general, es palpable. La caballería andante, como estilo de vida, empieza a desaparecer en la Península a finales del siglo XV, y la nostalgia la recrea en el siglo XVI en todos esos libros absurdos y fantásticos que aguaron los sesos a Don Quijote. El ideal caballeresco en un mundo en plena evolución humanística resulta anacrónico y la reacción contra esta literatura está representada por Rabelais, Pulci, Bojardo, Ariosto y, en la Península, por Martorell y Cervantes.

Para darnos una idea de la gran influencia que el libro de Martorell ejercería en Cervantes, conviene echar un vistazo a la vida de éste. Su biografía nos ofrece el ejemplo típico de lo que sucede a un hidalgo que vive en este período de transición en que el ideal caballeresco se hunde bajo el peso de la realidad social.

Cervantes es un hidalgo que pertenece, en cierta forma, a una empobrecida familia de caballeros. Sirve como soldado raso bajo Felipe II, y después de todos los sacrificios de las campañas en Italia, es herido en Lepanto, hecho cautivo y llevado a Argel, de donde, después de cinco amargos años, vuelve a España. El soldado de Italia, el héroe de Lepanto, el caballero-soldado, sólo encuentra el bajo oficio de colector de impuestos. Es acusado y, a pesar de todos sus méritos e inocencia, tiene que pasar un tiempo en la cárcel. Cervantes es, asimismo, testigo de la miseria social de la hidalguía, de la hipocresía y de las apariencias engañosas de la aristocracia, y del declive de España.

Después de ochocientos años de guerras con los moros y las brillantes campañas europeas, el ideal caballeresco y el sentido del honor han arraigado en España más que en ninguna otra nación europea, que, subconscientemente, se convierte en una nación de caballeros, y lo continúa siendo en un período en que el ideal romántico del caballero se ha hundido y con él España. Observa Arnold Hauser:

> It becomes more and more clear to him that the blame for both the individual and the national failure lies in the historical anachronism of chivalry, in the untimeliness of irrational romanticism in this thoroughly unromantic age. [1]

La Contrarreforma y las sangrientas guerras religiosas, con el consiguiente desastre nacional, que bañaron a Europa, fueron una consecuencia de lo que Hauser acaba de llamar "untimeliness of irrational romanticism." ¿Qué impresión le causaría *Tirante el Blanco* a Cervantes, el caballero desilusionado, que ya intuye en este anacrónico ideal caballeresco las desgracias personales y el futuro declive nacional?

La respuesta nos la da Cervantes mismos que alaba el libro en unos términos entusiastas y con una euforia contagiosa. Pensemos que la alabanza de Cervantes [2]

---

[1] Arnold Hauser, *The Social History of Art* (New York: Alfred A. Knopf, 1952), p. 398 (traducción inglesa del *Sozialgeschichte der Kunst und Literatur*). Cf., también, para una visión socio-política de la España de Cervantes, la obra de Francois Piétri, *La España del Siglo de Oro,* según versión española de Felipe Ximénez de Sandoval (Madrid: Guadarrama, 1960).

[2] Opina Daniel Eisenberg que la crítica del *Tirante* no representa en modo alguno la opinión de Cervantes sino la de Pero Pérez, el cura, y acaba afirmando que "what should be clear, is that there is in this passage no praise of Tirant lo Blanch, on the part of Cervantes, or anyone else," pues, el cura condena al autor porque al intentar escribir un libro serio de caballerías, le salió el tiro por la culata; cf. su estudio "Pero Pérez the Priest and his Comment on

está encuadrada en unas circunstancias en que están echando al fuego todos los libros de caballerías que han sido los causantes de la locura de Don Quijote. ¿Pues no es el *Tirante* un libro de caballerías? Sí, pero "aquí comen los caballeros, y duermen, y mueren en sus camas, y hacen testamento antes de su muerte." No se encuentra Cervantes con anacronismos románticos, sino con un libro realista. Aquí no lloran los

---

Tirant lo Blanch," *MLN*, LXXXVIII (1973), 321-330 (cita en p. 330).

Si el libro de Cervantes es una crítica del autor, con un amplio espectro de sátira social, ¿por qué este pasaje tiene que ser una excepción?

Verdad es que, como afirma E. Riley (*Cervantes's Theory of the Novel* (Oxford: Clarendon Press, 1968), p. 29), "with Cervantes above all writers, we must be careful about imputing to the author the opinions of his invented personages"; también es verdad que en Cervantes, que a través de un autocriticismo aristotélico, más el muelle que ha interpuesto, a través de sus personajes, entre sí y las opiniones expresadas en su obra, resulta muy difícil saber con certidumbre cuáles ideas son de Cervantes. Sin embargo, dos puntos, dice este mismo autor, son esenciales para indagar la verdadera opinión de Cervantes. Uno es la ironía: "Irony allows Cervantes to criticize while he writes" (p. 31), y el pasaje dedicado al *Tirant* está, a todas luces, impregnado de ironía. Ahora bien, la ironía, según la teoría literaria de Bousoño antes mencionada, es una crítica indirecta, es decir, que el objeto de la ironía, con frecuencia, no es directo, en nuestro caso la obra criticada. Otro punto que hay que tener muy presente, según Riley, es que "The Priest, I think, generally speaks with the voice of the author's strictest critical conscience" *(op. cit.,* p. 129) y el que hace la crítica del *Tirant* es precisamente el sacerdote, que siendo además una persona inteligente con la ironía de Cervantes mismo, nos confirma en la opinión de que la crítica del *Tirant* procede no de los personajes, sino de Cervantes mismo. No podemos menos que rechazar la opinión del Señor Eisenberg, como nota meditada pero sin sólido argumento. La teoría de la novela de Cervantes, enraizada en sólidas doctrinas aristotélicas, así nos lo indica.

caballeros en pozos y simas, o en peñas alejadas, sino que lidian con la amada, la seducen, y, a veces, salen malparados. Con un caballero —Tirant— que es la mayor parte del tiempo capitán, que al ganar una fortaleza la organiza antes de dejarla, que reparte los despojos con equidad y que se las piensa todas antes de acometer una empresa, sopesando los pros y los contras. Es esto a lo que Cervantes se refiere cuando continúa diciendo que en este libro hay cosas de que "los demás libros deste género carecen." No son ciertamente las caballerías de Tirant del tipo que han arruinado, con su romanticismo anacrónico, al caballero de la Triste Figura. Comer, dormir, morir en la cama y hacer testamento, es lo más realista; es la evolución natural de una persona y de una sociedad, que no pierde pauta del progreso y la condición de los tiempos. Representa estabilidad. Es el polo opuesto del ideal caballeresco, del caballero que no come, ni duerme, ni muere en la cama. El caballero-soldado español muere por Europa en luchas por ideales trasnochados. Tampoco hace testamento, porque no hay nada que legar. Bien lo sabía Cervantes, el caballero, el soldado, el héroe de Lepanto y el pobre de la corte. Frente a él se levanta una sociedad que vive de apariencias y de sueños y de fantasías caballerescas. Una sociedad aristocrática, regalada y corrompida, que alardea de galanterías y la que más lee, porque es lo que sabe leer más, las aberraciones de caballerías románticas. Mientras tanto, los verdaderos caballeros, los héroes, viven en la pobreza o mueren en batallas religiosas.

Tirant está muy distante de la locura de Don Quijote porque, como afirma Hauser:

...if Don Quijote attributes the incompatibility of the world and his ideals to the bewitching of reality, and cannot understand the discrepancy between the subjective and objective order of things, that only means that he has slept through the world-historical-transformation, and that his world dreams, therefore, seems to him to be the only real world, whereas reality appears to be a magic world full of evil demons. [1]

Es solamente al final, en su lecho de muerte, en que la verdad aparece más desnuda, cuando se da cuenta de su error, hace un testamento generoso y se encomienda a su Creador; lo mismo que Tirant, que nunca perdió el seso.

Es, seguramente, ese contraste y oposición dinámica que Tirant representa junto a los otros libros de caballerías, lo que avivaría en Cervantes el deseo de poner ambos mundos frente a frente, ridiculizando el anacrónico y ensalzando el realista, en la creación de Don Quijote.

Resulta difícil precisar la influencia que Martorell ejerció en Cervantes, a excepción del entusiasta elogio del cura a *Tirante el Blanco.* Sólo algunas notas meditadas se pueden deducir.

Opina Dámaso Alonso (cf. "*T. lo B.,* novela moderna," p. 191) que aunque se han señalado "algunos puntos concretos del Quijote que parecen dejar traslucir huella del *Tirant,*" es mucho más decisiva la lección general que Cervantes aprendería:

[1] Hauser, *The Social History,* p. 398.

150

De hombre a bombre, de técnica a técnica... obsérvese sólo esto: el *Tirant* y *Don Quijote* son libros que están como partidos por la mitad entre el idealismo caballeresco y positivismo diario. Esta coincidencia me parece el vestigio fundamental que de la obra de Martorell se encuentra en Cervantes. (Ibid.)

Continúa Dámaso Alonso diciéndonos que se evite la exageración en este punto, pues mientras en *Don Quijote* estas dos partes están en conflicto, en el *Tirant* conviven sin contradicción o desarmonía.

Efectivamente, tanto Tirant como Don Quijote son dos caballeros que se enfrentan con el mundo que les rodea, y mientras Don Quijote transforma la realidad en fantasía y sueños, con la consiguiente sátira y humorismo, Tirant la asimila creando la misma impresión por la discrepancia de ésta con el ideal caballeresco. Los amoríos de Don Quijote, conforme a todos los cánones de caballería, chocan con la lascivia del Tirant, contraria a los mismos cánones.

Tanto en este aspecto particular como en los demás, el humor y la ironía, cuando intencionada, provienen del choque, conflictivo en Don Quijote y armonioso en Tirant, del plano caballeresco con el plano real. De Tirant se espera una conducta más caballeresca, que manca en favor de lo real, y de Don Quijote una actitud más realista frente a la realidad misma, que tampoco la hay en aras de lo caballeresco.

Dejando a un lado las influencias indudables que Ariosto ejercería en Cervantes, es evidente que la lección general de que habla Dámaso Alonso, la aprendió el autor del *Quijote* leyendo la obra de Martorell. El esquema, en resumen, es poner frente a frente, en una posición de conflicto, el mundo real y el ideal caballeresco. En Cervantes este conflicto es llevado al extremo, en menoscabo de la realidad, y en Martorell es asimilado en prejuicio de lo caballeresco. El proceder, por lo tanto, de ambos caballeros frente al mundo circundante es la clave del acierto de Martorell y Cervantes. Secreto descubierto por Martorell casi un siglo antes y visto por Cervantes un siglo después.

Esta es, también, la opinión de M. de Montoliu quien examina la parodia caballeresca del Renacimiento. Bojardo, Pulci y, sobre todo, Ariosto, crean un caballero imbuido del espíritu renacentista y lo colocan en el mundo quimérico de caballerías. El humorismo resulta del escepticismo del caballero.

Cervantes hace lo opuesto. El caballero conserva, hasta la caricatura, toda la gravedad del caballero libresco, pero renuncia al mundo fantástico. El choque del caballero con el mundo circundante es brusco y cómico, y, en último término, trágico, porque el caballero no combate con fantasmas ni monstruos, sino contra personas e instituciones vivas, y de ahí se desprende la gran sátira social española.

Martorell adopta una posición realista: el caballero es una persona como otra, y el mundo es real y existente. Mediante este proceso de incorporación de lo caballeresco y lo real se crea una novela de caballerías basada en la negación categórica del espíritu genuino de la caballería. Esta negación, tan evidente, se convierte en un humorismo, hasta cierto punto, irónico y satírico.

Continúa diciendo Montoliu que:

> L'ideal cavalleresc en el *Tirant* podríem dir que acaba transformant-se en un pur element decoratiu. Aquesta solució de Joanot Martorell fou el ferm i ocult fonament sobre el qual bastí Cervantes l'originalíssima concepció del seu llibre inmortal. (*Poesia i novel.lística,* p. 115)

Afirma, además, que

> Conservar el caràcter de llibre de cavalleria en una obra inspirada en l'amor més franc i sincer a la realitat era, sens dubte, la solució més difícil i arriscada de totes. (Ibid.) [1]

La crítica literaria es unánime en aceptar las influencias de la obra de Martorell en Cervantes. A los ya mencionados autores, vamos a añadir una opinión más: la de Maldonado de Guevara, quien afirma que Martorell "amagó la parodia caballeresca y no vio en ella las posibilidades infinitas." [2] No obstante, continúa Maldonado, Martorell

> es un maestro de la novela moderna, porque fue uno de los maestros de Cervantes, el cual hizo lo que no acabó Martorell, y lo hizo absorbiendo a los tres exponentes del eje mediterráneo que llegan hasta el mismo

---

[1] Cf., asimismo, Martha M. Alfonso, "Influencia de la literatura catalana en *Don Quijote de la Mancha,*" *Elul,* X (1966), 107-120.
[2] F. Maldonado de Guevara, "Martorell y Cervantes," *Anales Cervantinos,* IV (1954), 322.

centro de nuestra península: a Boccaccio, a Martorell y a Ariosto... (Ibid.)

Como vemos, lo que hasta ahora ha sido afirmado por el citado crítico, es categórico. No le cabe ninguna duda de la influencia que Martorell ejerció en Cervantes, e insiste:

> ...la influencia, o, si se quiere, el magisterio de Martorell sobre Cervantes, es, a mi entender, mayor aún de lo que hasta ahora se ha creído. No sólo en lo funcional caballeresco y morfológico novelístico, sino, además y de un modo eminente, en el arte del diálogo. Junto a la influencia dialogística de Boccaccio hay que destacar la de Martorell, verdadero innovador en el diálogo propio de la novela. (Ibid., p. 323)

Dentro del género caballeresco, la única vez que encontramos un diálogo rápido, seguido o precedido, sin embargo, de largas descripciones omniscientes, es en la novela catalana, escrita en verso, *Blandin de Cornualla*. Uno de los aspectos estilísticos a que se refieren los críticos al afirmar que Martorell crea la novela moderna es precisamente, en cuanto a la forma, el diálogo, que tenía que influir necesariamente en Cervantes, aunque es difícil de precisar en este punto, dada la existencia de diálogos rápidos en otras novelas anteriores a Cervantes. Lo que sí es cierto es que Martorell lo introduce por primera vez en este tipo de novelas. Veamos un ejemplo:

—Senyor, en aquesta pedra ha cos viu.

—Com! —dix lo lapidari— qui véu jamés en pedra fina haver cos viu?

—Si així no és —dix lo filòsof— jo tinc ací tres-cents ducats e jo els posaré en poder de la senyoria vostra e obligue la mia persona a la mort.

—E jo, senyor, só prest d'obligar també la mia persona a la mort... (*Tirant*, I, 350, cap. CX)

—Esto es prosa, y parece carta.

—¿Carta misiva? —preguntó Sancho.

—En el principio no parece sino de amores —respondió don Quijote.

—Pues lea vuestra merced alto —dijo Sancho—; que gusto mucho destas cosas de amores.

—Que me place. (*Quijote*, pt. I, cap. XXIII)

Fijémonos en la rapidez del diálogo en ambas novelas. Este dinamismo se consigue mediante el empleo de oraciones cortas, exclamativas, interrogativas o explicativas en las que generalmente se repite alguna palabra, frase o concepto de la oración precedente:

En el *Tirant:*

—Senyor... pedra ha cos viu.

—Com! ... haver cos viu?

—Si així... obligue la mia persona a la mort.

—E jo... prest d'obligar... la mia persona a la mort.

En el *Quijote:*

155

—Esto... carta.

—¿Carta misiva, señor?

—En el principio... amores.

—Pues lea... cosas de amores.

La presencia de esta clase de diálogos tan dinámicos en ambas obras es muy frecuente. Si se inspiró o no Cervantes en cuanto al diálogo no se puede probar pero conviene apuntar que, con anterioridad a Cervantes, no existía mucho este tipo tan ágil de diálogo en la novelística y, ciertamente, no en la de caballerías. El segundo autor que usa este diálogo en este tipo de novelas es Cervantes.

Encontrar las huellas concretas del *Tirant* en *Don Quijote,* es muy difícil.[1] Es asimismo peligroso hacer afirmaciones en el terreno de lo concreto, en que la coincidencia puede jugar mayor papel que la incierta influencia. Sin embargo, en lo que de coincidencia se trata, hallamos varias.

En el capítulo XXI de la primera parte del *Quijote* va éste explicando a Sancho el recibimiento que un ínclito y victorioso caballero tendrá en cualquier reino. La descripción parece seguir las líneas generales de las

---

[1] Véase, sin embargo, J. Givanel Mas, "El *Tirant lo Blanch* i *Don Quijote de la Mancha*," *Quaderns d'estudi,* 53-54 (1921-22), artículo que apareció también en forma de libro (Barcelona, 1922). Tal estudio hay que tomarlo con cierta cautela. Véase también J. M. Sola-Solé, "El *Tirant* i el *Quixot*," de próxima aparición en *Homenatge a R. Aramon.*

aventuras de Tirant en el oriente. Según Don Quijote, el Rey estará a la ventana de su palacio y, al conocer al caballero por sus armas o escudo, mandará a sus cortesanos a recibirle. Incluso el mismo Rey saldrá a recibirle y le estrechará, besándolo en el rostro. Acto seguido, el Rey llevará al caballero a la cámara de la Reina, donde también estará la Infanta, la más "fermosa" criatura que hay en el mundo. Ella pondrá los ojos en él y él en ella, y quedarán presos en una red amorosa. Al llegar la noche cenará el caballero con el Rey, la Reina y la Infanta, de quien nunca apartará sus ojos. La Infanta, por su parte, corresponderá, pero con mucha sagacidad y disimulo. Aparecerá una dueña cautiva, que sólo el caballero podrá librar. Como el Rey estará en guerra con un poderoso adversario, el caballero irá a servirle, no antes de despedirse de la Infanta desde el jardín, que está bajo su aposento. Sitio de ambos conocido y de una doncella de la que la Infanta mucho fía. Suspirará él, se desmayará ella, que será reavivada con agua por su doncella. Tendrán que apresurarse porque el día se les echa encima. Irá el caballero a su aposento, donde se echará sobre el lecho suspirando. Se despedirá de los soberanos. No estará la Infanta, pero sí su doncella que no lo notará todo. Para disimular su angustia, la Infanta aparecerá en público al cabo de unos días. Mientras tanto el caballero recupera muchas plazas y vence al enemigo. Al final, como recompensa, se casará con la Infanta, de lo cual mucho se alegrará el Rey. A su escudero lo casará con la hija de un gran Duque.

Esto es, en resumidas cuentas, lo que le pasó a Tirant. De la manera descrita entró Tirant en Constantinopla, se enamoró, se fue a la guerra, ganó ciudades y volvió victorioso contra el turco. En premio de sus servicios, se casó con la Infanta de Constantinopla. No se menciona aquí el final dramático, porque no cabe en la cabeza delirante de Don Quijote. La doncella intermediaria es Plaesdemavida; la dueña, la Viuda Reposada. Su escudero Diafebus casó, efectivamente, con la hija del gran Duque de Macedonia.

Lo expuesto no prueba, tampoco, la influencia de Martorell, puesto que en la gran caterva de libros de caballerías son aconteceres comunes. Sin embargo, las aventuras de este caballero, hijo de la imaginación de Don Quijote, siguen fielmente y, en muchos puntos hasta el detalle, las aventuras del *Tirant*. Efectivamente, es desde la ventana que el Emperador ve venir a Tirant, al cual sale a recibir y lo besa en la boca, lo lleva al aposento de su hija, de la que se prenda. Después de su visita con la Infanta, Tirant va a su posada y se echa en el lecho, suspirando. Como el caballero de Don Quijote, gana ciudades. Es solamente en el *Tirant* en que el escudero casa con la hija de un "gran duque."

En cuanto a las aventuras y estadía de Don Quijote en la corte de los Duques, el único paralelismo que hallamos con Constantinopla, es en el ambiente de ambas cortes: despojado de toda gravedad.

Por causa de la dueña, es Don Quijote apaleado, en casa de los Duques, y por causa de la Viuda Reposada, Tirant se rompe una pierna en el palacio de Constantinopla. En la corte de los Duques también la figura graciosa y llena de vitalidad, un tanto desvergonzada, de Altisidora, parece estar copiada de Plaerdemavida. Ambas parecen desempeñar el mismo papel en las respectivas cortes. No creemos que Maritornes, con toda su amoralidad, pero tosca y baja, pueda ser una influencia, también, de Plaerdemavida. En todo caso, si Cervantes se inspiró en Plaerdemavida, es muy posible que la hubiese desdoblado en dos: en Altisidora y en Maritornes. Altisidora representaría en este caso la gracia y el donaire de Plaerdemavida, y Maritornes su amoralidad.

Hay una aventura de gatos en el palacio de Constantinopla y otra en el de los Duques. Hay una Viuda Reposada y una Dueña, una Plaerdemavida y una Altisidora, unos Duques despojados de toda gravedad y unos Soberanos aburguesados.

Creemos, no obstante, que si hay influencia entre ambas cortes, más que en episodios concretos se ha de ver, como indicamos antes, en el ambiente general. Y que si hay influencia de la novela de Martorell en la de Cervantes, más que en episodios concretos se ha de hallar en el esquema general que Cervantes vio al leer la obra de Martorell.

En el terreno de las influencias hay que hacer notar, además, el aspecto realista de la toponimia y la onomástica en ambas obras, en el cual *Tirant* precede al *Quijote*. Las andanzas de Tirant empiezan "en la fertil isla de Inglaterra" y las del *Quijote* "en un lugar de la Mancha." En el mundo caballeresco del siglo XV, Inglaterra era casi tan conocida, entre los caballeros y la alta burguesía, como lo era la Mancha a los castellanos del siglo XVI. El precedente toponímico

159

continúa: Salisbury, Warwick, Nantes y el resto toponímico del *Tirant* son tan realistas como el Toboso, Sierra Morena, Zaragoza o Barcelona. En una novela que se desarrolla en Inglaterra y el Mediterráneo, es tan inesperado el detalle toponímico de ciudades como Orihuela, Lérida o Valencia, como lo es el detalle de los sitios manchegos del *Quijote*.

Lo mismo podría decirse de la onomástica del *Tirant*, que, salvo algunas excepciones, precede en su realismo a la del *Quijote*. Esto fue notado ya por Cervantes quien, entre todos los nombres realistas del *Tirant*, se fija en el caballero "Fonseca." Un nombre de caballero tan castizo, que, en el exótico mundo de las caballerías, le sonó casi como un chiste.

Fijémonos, siguiendo estas líneas generales, que Cervantes coincide con Martorell en la técnica de dar detallada explicación de todos los sucesos, con sus circunstancias, sus causas y sus consecuencias. Un ejemplo será suficiente para nuestro propósito:

> ...Pasamonte, que no era nada bien sufrido, estando ya enterado que don Quijote no era muy cuerdo, pues tal disparate había acometido como el de querer darles libertad, viéndose tratar de aquella manera,

(hasta ahora todas las causas y circunstancias)

> hizo del ojo a los compañeros, y apartándose aparte, comenzaron a llover tantas piedras sobre don Quijote, que no se daba manos a cubrirse la rodela; y el pobre Rocinante no hacía más caso de la espuela que si fuera hecho de bronce; Sancho se puso tras su asno...

(El suceso continúa con detallada minuciosidad y humorismo, y a continuación se describen las consecuencias:)

> Solos quedaron jumento y Rocinante, Sancho y don Quijote; el jumento, cabizbajo y pensativo, sacudiendo de cuando en cuando las orejas, pensando que aún no había cesado la borrasca de las piedras; Rocinante, tendido junto a su amo; que también vino al suelo de otra pedrada; Sancho, en pelota, y temoroso... (*Don Quijote*, pt. I, cap. XXII)

En *Tirant:* se acaba de explicar cómo Tirant para vencer al enemigo echó sobre el enemigo unos cuantos miles de yeguas, causando un desconcierto total, y el autor continúa:

> Com aquest desbarat hagués durat un poc espai, e tot lo camp estava arremorat per los cavalls, vengué

(hasta ahora todas las causas y circunstancias)

> Tirant e ferí en l'una part ab la mitat de la gent, e lo duc de Pera ab l'altra gent feriren a l'altra part invocant lo gloriós cavaller Sant Jordi.

(Las consecuencias:)

> Veure en poca d'hora tendes anar per terra, e homens morts e nafrats en gran nombre... (*Tirant,* I, 430, cpa. CXXXIII)

Y continúa la explicación del resultado de la batalla con gran detallismo.

A esta clase de descripciones y diálogos es a lo que se refiere Maldonado de Guevara, antes citado, cuando afirma que Cervantes aprendió de Martorell en lo "novelístico-morfológico."

En las aventuras del *Quijote* saldrá malparado el idealismo, lo mismo que pasa con el *Tirant* y sus personajes. En ambas novelas, por lo tanto, sufre el idealismo: en el *Quijote* por exceso, y en el *Tirant* por falta. En el proceso, Cervantes criticará todo lo criticable, el ideal falso, las apariencias engañosas, la hipocresía, faltas todas encarnadas en la fantasía anacrónica de la caballería trasnochada. Una excusa que se va a usar y a declarar con frecuencia para salvaguardia de la verdadera sátira y contra posibles represalias inquisitoriales.

Sin embargo, el caballero de Cervantes, al igual que Tirant, será de carne y hueso. Sufrirá, saldrá malparado, aporreado y herido, de algunos de sus combates. Este caballero, además, comerá y dormirá y lo único fantástico que le sucederá, será en su imaginación. Al final, como de carne y hueso que es, hará testamento y morirá.

Tenemos que resumir, a vista de todo lo expuesto, que efectivamente, tal como la crítica lo ha sostenido hasta ahora, sin demostrar, a las claras, punto por punto, que la obra de Martorell ejerció una influencia directa en Cervantes.

CONCLUSIONES

La nota más preponderante y característica de la sociedad y de la literatura romance catalana es su aburguesamiento. En el campo histórico-social se manifiesta en el poder de la clase media ciudadana, en su actividad febril y dinámica que dominó el Mediterráneo, entre los siglos XIII al XV. En su expresión literaria se muestra un realismo que lo empapa todo, desde el lenguaje, hasta la prosaización de géneros literarios. Nos referimos, especialmente, al cambio, casi metamórfico, que sufre el género literario que nos ha ocupado: los libros de caballerías.

En Cataluña no se ha escrito, por decirlo así, un libro de caballerías al estilo europeo y castellano, cuya característica es exhuberancia de elementos fantásticos, exóticos, desmesurados o sobrenaturales. De ahí que las novelas catalanas de este género, constituyan por sí mismas una clase, un subtipo, o producto secundario y espúreo de este género, llamado "novelas caballerescas."

Esta "novela caballeresca," o al estilo de caballerías, ha trocado el ambiente exótico por el común y corriente; el lugar geográfico lejano y misterioso, por el próximo y conocido. El héroe no es inventado, sino copiado de la realidad social del tiempo, y, por lo tanto, sujeto a todas las limitaciones y debilidades humanas. Sin dejar de ser un hombre de carne y hueso, ejerce el oficio de caballero, en el que triunfa gracias a la inteligencia y al ejercicio. Esta clase de novelas matan, por decir así, el espíritu y el misterio del mundo de caballerías. Y es que, a todas luces, no es Cataluña, ni a lo largo de su historia ha sido, un pueblo soñador. Tampoco su literatura, como en este estudio hemos intentado demostrar.

La obra más típica, y tal vez más conocida, aunque, desafortunadamente, no bien entendida ni estudiada como es debido, es *Tirant lo Blanc,* cuyo realismo se entronca en la realidad histórica, social y geográfica, dándole la base al estilo que la convierte en obra realista.

No obstante, en *Tirant* hay algo más. Hay un imponderable que lo empapa todo: humorismo. Un humorismo que está hecho a propósito, y otro que resulta de crear situaciones verosímiles sobre bases ilógicas e improbables. Esto da origen a una clase de humorismo que resulta de colocar al nivel común y burgués a personajes y situaciones que nuestra experiencia no nos suministra. Hay un choque entre lo que vemos y lo que sabemos. Es el realismo que nos hace reír con la superposición de planos en un chiste.

De haber seguido, sin embargo, las diferentes definiciones u opiniones que la crítica moderna ofrece sobre el realismo, hubiésemos tenido que rechazar el realismo de los episodios más realistas del *Tirant*. La noción greco-latina del "monstrare," de la "narratio probabilis" o "verisimilis" nos ofrece una idea más segura del realismo que se basa en la "función mimética" del lenguaje más que en la "base real."

Es indudable que el impacto de la obra de Martorell en Cervantes fue grande y aleccionador, hasta el punto de que el cura recomienda al barbero: "Llevadle a casa y leedle, y veréis que es verdad cuanto dél os he dicho," cosa que no hace con ninguna otra obra criticada. La lección que Cervantes aprendió no es sólo en cuanto a la técnica general de la obra, la trama: el ideal caballeresco frente a una sociedad aburguesada, sino incluso en puntos concretos; entre los cuales hay que destacar lo toponímico, lo onomástico, los muchos paralelismos de personajes y situaciones, lo novelístico-morfológico en la descripción detallada y el diálogo vivo y, sobre todo, en el realismo y humorismo que empapa ambos libros. No hay duda que la alabanza que Cervantes hace del *Tirant*, la más especial y sincera, fue el efecto de la profunda impresión y de la indudable influencia que este libro ejerció en él para la creación de *Don Quijote*. Sin embargo, la crítica moderna, siempre remisa en el estudio de esta influencia, continúa haciendo afirmaciones como la de A. Palomino: "... En España tenemos novela humorística desde el *Quijote*," [1] olvidando el precedente que Cervantes vio en nuestro obra.

Las posibilidades que la literatura catalana y en parti-

[1] Emilio Rey, "Palomino, búsqueda de lo humano," *La estafeta literaria*, núm. 488 (15 de marzo de 1972), 19.

cular el *Tirant* ofrecen al estudioso continuarán siendo
por mucho tiempo un campo vasto e inesplorado.

BIBLIOGRAFIA

Agüera, Victorio G. *Un pícaro catalán del siglo XV* (Barcelona: Hispam, 1975).

Alberola, E. *Refraner Valencià.* Valencia: Arte y Letras, 1928.

Alborg, Juan Luis. *Historia de la literatura española.* Madrid: Editorial Gredos, 1970. Tomo I.

Alfonso, Martha M. "Influencia de la literatura catalana en *Don Quijote de la Mancha,"* *Elul,* X (1966), 107-120.

Alonso, Dámaso. *Ensayos sobre poesía española.* Madrid: Revista de Occidente, 1944.

—————. "*Tirant lo Blanch,* novela moderna," en *Antología crítica.* Santander: Escelicer, s. f.; pp. 179-195.

Amades, Joan. *Folklore de Catalunya:* "Cançons, refranys, endevinalles."* Barcelona: Editorial Selecta, 1951. Tomo II.

Aristóteles. *Poetica.* Ed. de W. Wamilton Fife. Paris, 1953.

Aristotle's Poetics. Ed. de Gerald F. Else. Ann Arbor, Michigan, 1970.

Arnold, H. H. "The most difficult passage of *Don Quijote,"* *MLN,* L (1935), 182-185.

Bates, Margaret. "Cervantes and Martorell," *HR*, XXXV (1967), 365-366.

—————. "Cervantes' Criticism of 'Tirant lo Blanc'," *HR*, XXI (1953), 142-144.

Becker, George J. *Documents of Modern Literary Realism*. Princeton, N. J.: Princeton University Press, 1963.

Blanco Aguinaga, Carlos. "Cervantes y la picaresca: Notas sobre dos tipos de realismo," *NRFH*, XI (1957), 313-342.

Bousoño, Carlos. *Teoría de la expresión poética*. Madrid: Editorial Gredos, 1962.

Buendía, Felicidad. *Libros de caballerías españoles*. Madrid: Aguilar, 1954.

Casella, M. *Saggi di Letteratura Provenzale e Catalana*. Bari: Adriatica, 1966.

Castro, Américo. *Réalité de l'Espagne*. Trad. de Max Campserveux. Paris: Klincksieck, 1963.

Cervantes, Miguel de. *Don Quijote de la Mancha*. Ed. de F. Rodríguez Marín. Madrid: Atlas, 1947-49. 10 tomos.

—————. *Don Quijote de la Mancha*. Ed. de A. Valbuena Prat. Madrid: Aguilar, 1967. 2 tomos.

Copleston, Frederick. *A History of Philosophy*. Garden City, N. J.: Image Books, 1962. Tomo I.

Corominas, Joan. "Sobre l'estil i manera de Martí Joan de Galba i el de Joanot Martorell," en *Homenatge a Carles Riba en complir seixanta anys*. Barcelona: Janes, 1954; pp. 168-84.

Chaytor, H. J. *A History of Aragon and Catalonia*. London, 1933.

Curial e Güelfa. Ed. R. Aramon i Serra. Barcelona: Els Nostres Clàssics, 1930-1933. 3 vols.

Eisenberg, Daniel. "Pero Pérez the Priest and his

Comment on *Tirant lo Blanch,"* *MLN,* LXXXVIII
(1973), 321-30.

Entwistle, William J. "Observacions sobre la dedicatòria i primera part del *Tira·it lo Blanch,"* *Revista
de Catalunya,* VII (1927), 395-401.

————. *"Tirant lo Blanch* and the social order of
the end of the Fifteenth Century," *Estudis Romànics,* II (1949-50), 150-51.

Eoff, Sherman. "Pereda's Conception of Realism as
Related to his Epoch," *HR,* XIV (1946), 281-303.

Escribano, F. S. "El sentido cèrvantino del ataque
contra los libros de caballerías," *AC,* V (1955),
19-40.

Farinelli, Arturo. *Divagaciones hispánicas.* Barcelona:
Bosch, 1936. 2 tomos.

Fisher, John H. *The Medieval Literature of Western
Europe. A Review of Research, Mainly 1930-1960.*
New York: N. Y. University Press, 1968.

Gili-Gaya, S. "Notas sobre Johanot Martorell," *RFH,*
XXIV (1937), 204-208.

————. "Noves recerques sobre *Tirant lo Blanch,"*
ER, I (1947-48), 135-47.

Givanel, J. "Estudio crítico de la novela caballeresca
Tirant lo Blanch," *AIH,* I (1911), 213-48; 319-48;
II (1912), 392-445; 477-513.

————. "El *Tirant lo Blanch; Don Quijote,"*
Quaderns d'estudi, 53-54 (1921-22).

Green, Otis H. "On Juan Ruiz's Parody of the Canonical Hours: Juan Ruiz's Art of Satire," *MPhil,*
LXII (1964-65), 105-109.

Gutiérrez del Caño, M. "Ensayo bibliográfico del
Tirant lo Blanch,'" *RABM,* XXXVII (1953),
259-69.

Hauser, Arnold. *The Social History of Art.* New York: Alfred A. Knopf, 1952.

Ivars, P. A. "Estatge de Juanot Martorell en Londres," *Anales del Centro de Cultura Valenciana,* II (1929), 54-62.

Jacob, C. F. *Fifteenth Century: 1399-1485.* Oxford: Clarendon Press, 1969.

Lausberg, Heinrich. *Manuel de retórica literaria,* trad. de José Pérez Riesco. Madrid: Editorial Gredos, 1966.

Lukács, Georg. *Studies in European Realism.* New York: Grosset and Dunlap, 1964.

Maldonado de Guevara, Francisco. "El dolo como potencia estética," *AC,* I (1951), 133-57.

————. "Martorell y Cervantes," *AC,* IV (1954), 322-26.

Marinescu, Constantin. "Du nouveau sur *Tirant lo Blanch*," *Estudis Romanics,* IV (1953-54), 137-200.

Martorell, Joanot y Martí Joan de Galba. *Tirant lo Blanc.* Ed. de Martí de Riquer. Barcelona: Seix Barral, 1970. 2 tomos.

McClelland, I. L. *Liverpool Studies in Spanish Literature.* Liverpool, 1948.

Riquer, M. de. *Cavalleria fra Realtà e Letteratura nel Quatrocento.* Bari: Adriatica, 1970.

————. "'Echar a galeras' y el pasaje más oscuro del *Quijote,*" *BRAE,* XXXIX (1949), 263-77.

————. *Història de la literatura catalana.* Barcelona: Ariel, 1964. Tomo II.

————. "Joanot Martorell i el 'Tirant lo Blanc',," prólogo a la edición.

Rubió i Balaguer, Jordi. *La cultura catalana del Renaixement a la Decadència.* Barcelona: Edicions 62, 1964.

————. "Literatura catalana," en *Historia general de las literaturas hispánicas*. Ed. por Guillermo Díaz-Plaja. Barcelona: Barna, 1953. Tomo III, 729-930.

Ruiz, Juan. *Libro de buen amor*. Ed. J. Cejador y Frauca. Madrid: Espasa-Calpe, 1970. 2 vols.

Sanvisanti, B. "Il passo più oscuro del Chisciotte," *RFE*, IX (1922), 58-62.

Sola-Solé, J. M. "La España del siglo XIII y su postura ideológica," *Hispanófila*, 58 (1976), 19-33.

————. "El *Tirant* i el *Quixot*," de próxima aparición en *Homenatge a R. Aramon*.

Shipley, J. T. *Dictionary of World Literature*. Totowa, N. J.: Littlefield, Adams and Company, 1972.

Shneidman, J. Lee. *The Rise of the Aragonese-Catalan Empire. 1200-1350*. New York: New York University Press; London: University of London Press, 1970. 2 tomos.

Tate, Robert B. "Joanote Martorell in England," *Estudis Romànics*, X (1962), 277-81.

Thomassy, R. "De Guillaume Fillastre, considéré comme géographe; a propos d'un manuscrit de la Géographie de Ptolémée," *Bulletin de la Société de Géographie*, II série, XVII (1842), 148-49.

Ticknor, George. *History of Spanish Literature*. New York: Harper and Bros., 1854. Tomo I.

Torrente-Ballester, G. *Panorama de la literatura española contemporánea*. Madrid: Guadarrama, 1961. 2 tomos.

Vaeth, Joseph A. *Tirant lo Blanch. A Study of its Authorship, Principal Sources and Historical Setting*. New York: AMS Print, 1966.

Vargas Llosa, M. "Carta de Batalla por Tirant lo Blanch," *RO*, LXX (1969), 13-21.

Warren, J. M. *A History of the Novel Previous to the Seventeenth* Century. New York, 1895.

INDICE DE MATERIAS

Prefacio   7

I. *Tirant lo Blanc* y su pretendido realismo   11
    A. El problema del realismo literario   16
    B. Una tradición realista   34

II. *Tirant lo Blanc:* Novela realista   49
    A. Lo posible y verosímil   50
    B. Lo imposible pero verosímil: lo humorístico   111
    C. Lo inverosímil   122

III. *La obra de Cervantes y la de Martorell*   129
    A. "El pasaje más oscuro del *Quijote*"   130
    B. ¿Influye Martorell en Cervantes?   145

Conclusiones   163

Bibliografía   167